5.00

Les Pintades
à
TÉHÉRAN

Chroniques de la vie des Iraniennes

Les Pintades

Collection dirigée par Layla Demay et Laure Watrin

LES PINTADES À NEW YORK
par Layla Demay et Laure Watrin, 2004

LES PINTADES À LONDRES
par Virginie Ledret, 2006

LE NEW YORK DES PINTADES : GUIDE DES BONNES ADRESSES DE NEW YORK POUR PINTADES VOYAGEUSES
par Layla Demay et Laure Watrin, 2005

Delphine Minoui

Les Pintades à Téhéran

Chroniques de la vie des Iraniennes

Illustrations de Sophie Bouxom

Éditions Jacob-Duvernet

REMERCIEMENTS

« Merciiiii !!! »

Merci à Zohreh et Newsha : sans elles, le Téhéran au féminin aurait une autre couleur ; à Massy, reine du décryptage de la société iranienne ; à Michket pour ses encouragements ; à Sara et Sara, guides avisées du Téhéran qui bouillonne derrière les voiles ; à Pouran et son taxi magique ; à Kianouche, fin observateur des us et coutumes de la basse-cour téhéranaise.

Merci à Borzou, pour son soutien, ses conseils éclairés, et sa patience sans limites, même depuis Bagdad.

Merci à Layla et Laure, initiatrices de ce projet ; à Luc Jacob-Duvernet, pour y avoir cru.

Et bien sûr un « Merciiii » spécial à toutes celles qui ont pris le temps de partager un thé, d'ouvrir leur porte le temps d'une soirée, de révéler les moindres secrets de leur résistance au quotidien. Pour vous protéger, votre nom ne figure pas dans le livre, mais vous vous reconnaîtrez tout de suite. Ce livre, c'est avant tout votre livre.

Je pends une boucle
À mes oreilles
Faite de deux cerises rouges jumelles
Et je colle à mes ongles
Des pétales de dahlia.

Forough Farrokhzad (1935-1967)
Extraits du poème *Une autre naissance*

Table des matières

Avant-propos

« Les pintades à TÉ-HÉ-RAN ? Ah bon !!? Mais… pourquoi Téhéran ? » Cette réaction de surprise, nous l'avons souvent entendue ces derniers mois. C'est vrai ça, pourquoi avoir choisi Téhéran comme nouvelle destination de la basse-cour des pintades ? Peut-être parce que nous savons depuis le début qu'on ne peut pas se contenter de raconter les variantes de salutation au soleil et les cours de Pilates chez les branchées des villes glamour de la planète. Sans doute parce que nous pensons qu'il est toujours bon de s'ouvrir aux autres cultures, même si on n'ira pas toutes demain (et c'est bien dommage) faire du tourisme en Iran. Et surtout parce que nous savons qu'il y a plein de pintades sous les tchadors. Qu'il y a une vie trépidante, féminine et féministe, derrière les portes. Une basse-cour pétrie de contradictions savoureuses. Une basse-cour où, quand les femmes sont formidables, elles risquent de tâter du bâton ou de la prison. Il y avait tellement de clichés auxquels nous avions envie de tordre le cou… Certes l'Iran inquiète, mais quand on y regarde de plus près, on découvre une réalité qui s'épelle de façon beaucoup plus complexe que *jihad*. À Téhéran, les femmes portent souvent le voile fleuri et transparent, agrémenté de mèches folles peroxydées. Et même si on est au pays du pétrole, tous les hivers, il neige à Téhéran.

Layla Demay et Laure Watrin

Khoch Âmadid (Bienvenue)

Vivre à Téhéran ? Pas très sexy… Cité schizophrénique de plus de 12 millions d'habitants, la capitale iranienne a de quoi donner le tournis. Y habiter, c'est se déplacer sur des sables mouvants, entre mosquées hurlant « mort à l'Amérique » et nuits de beuverie à l'occidentale. C'est slalomer au quotidien entre embouteillages, gratte-ciels, gaz d'échappements et fresques révolutionnaires morbides. Et puis, le soir, une fois la porte de l'appartement refermée, on souffle un bon coup, et on finit sa journée devant un film hollywoodien acheté sous le manteau. Parfois autour d'une vodka de contrebande tord-boyaux.

Dehors, on pleure. Dedans, on rit. Dehors, on se recouvre du voile obligatoire. Dedans, on exhibe son nombril, entre un t-shirt trop court et un blue-jeans taille basse. Pas facile, au début, de s'y retrouver. Mais une fois qu'on a digéré la recette de la « double apparence », on fait comme tous les autres oiseaux espiègles de la capitale iranienne : on se prête au jeu du cache-cache avec les interdits.

Les pintades téhéranaises sont vraiment épatantes. Vaporeuses, un soupçon allumeuses – si, si, même sous leur foulard. Elles sont même parvenues à redonner vie à l'espace public, en y injectant de la couleur, du parfum, de la sensualité. Dans les rues du nord de Téhéran, le diable s'habille en veste saharienne rose ou kaki, en faux foulard Vuitton et écoute des tubes californiens sur son iPod !

Vous les imaginiez aux fourneaux ? Allez vous rhabiller. Dans un pays jeune, où 70 % de la population a moins de 30 ans, elles sont aujourd'hui à la pointe de la contestation. Elles transcendent au quotidien l'austérité imposée par les mollahs ultra-conservateurs. Au risque de se retrouver en prison. Mais ce n'est pas ça qui semble les arrêter dans leur élan. Paradoxe : en favorisant l'urbanisation et en scolarisant massivement les femmes, les religieux au pouvoir depuis 1979 ont finalement donné, eux-mêmes, naissance à leurs détractrices.

Vue de l'extérieur, Téhéran fait peur. Une fois à l'intérieur, Téhéran fascine. On la craint, c'est vrai, pour ses ambitions nucléaires. On s'y attache en fait très vite pour ses petites contradictions de tous les jours. Et on se laisse aisément apprivoiser par ce sens de l'accueil que les pintades persanes réservent à leurs consœurs françaises. Et pas seulement parce qu'on vient du même pays que Zinedine Zidane – elles l'a-do-rent ! –, mais tout simplement parce qu'il coule dans leur sang ce sens sacré de l'hospitalité exubérante.

Cet opus ne prétend pas dresser un tableau objectif de la condition de la femme en Iran. Entre carnet de bord et calligraphie contemporaine, c'est avant tout un recueil d'impressions glanées sur le vif, de morceaux de vie, permettant de raconter le quotidien inattendu des Téhéranaises.

Il répond à l'envie d'aller au-delà des gros titres effrayants de l'actualité : « L'Iran fabrique la bombe atomique », « Téhéran soutient le terrorisme en Irak », « Ahmadinejad veut rayer Israël de la carte »...

À Téhéran, ni la révolution de 1979, ni les slogans provocateurs d'aujourd'hui n'ont réussi à endiguer le flot battant de la vie. Sous le voile des apparences, l'univers féminin est en pleine ébullition. C'est plus fort qu'elles, les pintades qu'on croise dans la capitale iranienne ont des griffes bien vernies.

Delphine Minoui

1. Rebelles jusqu'au bout du tchador

Ni afghanes, ni saoudiennes

Ma copine Afsaneh a le cafard. Au Parlement, les députés conservateurs viennent de plancher sur un nouveau projet de loi : limiter l'accès des Iraniennes aux universités en imposant un quota. L'air dépité, elle murmure : « Tout ça pour ça… » Afsaneh, le look *fashion victim* en étendard, affiche une mine déconfite. Foulard rouge flashy, veste en jean encore plus cintrée que les Cadières de Brandis, elle appartient à la génération K – née sous Khomeini, éduquée sous Khamenei : comme ses comparses, élevées dans le carcan des mollahs, elle est prête à tout pour s'en affranchir. Les règles du jeu – pas drôle – de la République islamique, elle a grandi avec. Elle s'y est adaptée – elle n'avait pas le choix ! – tout en les combattant. Millimètre par millimètre. Avec de petites armes à portée de main : un rouge à lèvres pour défier les miliciens, un stylo pour s'insurger contre la théocratie, ou encore un SMS envoyé aux *batchéhâ* – terme fraternel pour évoquer « les amies », les « potes » – pour les informer d'un meeting, d'une pétition qui circule, d'une expo interdite. Afsaneh sait bien que la victoire majeure des *batchéhâ*, c'est justement d'avoir su gagner leur place à l'université : aujourd'hui, 60 % des étudiants iraniens sont des étudiantes. Et voilà qu'en un coup de balai parlementaire, on voudrait les renvoyer dans les confins de leurs cuisines. « Pas question ! piaille Afsaneh. Il y a même un député qui vient de proposer une autre solution : le doctorat "femme au foyer" ! Ah, ah, et puis, quoi encore ? » À quand la maîtrise de casseroles ou la licence en sciences de la couture et du macramé moléculaire ?

C'est bien l'un des paradoxes de la République islamique d'Iran. Même si une femme vaut la moitié d'un homme au regard de la loi – notamment en matière d'héritage, mais aussi de témoignage devant un tribunal –, le « second sexe » ne s'est jamais autant imposé dans la sphère publique iranienne. Entre vieux tacos rouillés et vendeurs de fruits secs ambulants, la rue iranienne est particulièrement féminine. Le long des avenues, dans les files d'attente pour bus, au comptoir d'un café branché, on les voit glisser, sous leur voile obligatoire. En cachant, elles révèlent encore bien davantage. Belles plantes aux grands yeux enjôleurs, sensuelles, fortes, sexy, le sourire ravageur, belles à damner un mollah. Les

Iraniennes sont partout : dans les ministères, à la tête de banques, sur les chantiers de construction, au volant de certains taxis.

Alors, un conseil : ne vous aventurez pas à les comparer à leurs voisines afghanes ou à leurs consœurs saoudiennes. « Là-bas, elles n'ont même pas de droit d'être au volant d'une voiture ! pouffe Afsaneh. Nous sommes peut-être des femmes soumises, mais nous sommes avant tout des femmes rebelles ! » Et quand une Iranienne sort ses griffes, mieux vaut se planquer. Messieurs, prenez garde, la Persane est farouche. La moindre humiliation provoquera une sortie de bouclier. Le coup de la main aux fesses – tic masculin apparemment bien moyen-oriental, et que le foulard ne saurait bien sûr prévenir – déclenchera une rafale de « *Pédar Sag !!* » (« Fils de chien !! ») qui vous remettra vite à votre place. De ce côté-ci du golfe Persique, les pintades sont indomptables, têtues, trempées dans la braise de la sensualité, forgées au feu de la rébellion. Et fières de l'être.

D'ailleurs, n'allez pas croire que le féminisme est un luxe de bourgeoise désœuvrée du nord de Téhéran. Qu'elles portent un tchador noir ou qu'elles arborent un foulard miniature posé nonchalamment sur des cheveux méchés, histoire de faire rager les barbus, elles combattent aujourd'hui, main dans la main, sur le même front : celui des idées rétrogrades propagées par certains membres de la classe politique, mais également ancrées dans une société qui reste profondément traditionnelle – et parfois franchement machiste !

L'espace imparti à la revendication de leurs droits reste largement limité. Privées de syndicats, interdites de partis politiques d'opposition, et pas vraiment accueillies à bras ouverts quand elles descendent dans la rue pour manifester. Mais comme Afsaneh, elles ont appris à fabriquer leurs propres munitions pour faire face à l'artillerie lourde des empêcheurs de féminiser en paix. Au fil des années, elles ont créé leurs propres bulles, qui ont fini par les positionner aux premières loges de la lutte démocratique : associations, journaux, blogs sur Internet, ateliers d'écriture…

Mohammad Sabouri, collaborateur régulier du magazine féminin *Zanan* (*Femmes*), leur tire son chapeau. « L'Iran a connu trois grandes révolutions : la révolution constitutionnelle de 1906, la révolution islamique de 1979, et aujourd'hui, la révolution féminine ! » confie cet Iranien qui se revendique féministe. Eh oui, même certains hommes ont été piqués par le dard contestataire de ces dames !

La liberté, droit au but

« Mes chères sœurs, si vous voulez vous trémousser, c'est dans un club de danse qu'il faut aller ! » La gardienne de la morale, en tchador noir, l'œil braqué sur les gradins remplis de belles Persanes en furie, s'égosille à en perdre haleine. Rien à faire. Les cheveux recouverts de foulards miniatures et le visage peinturluré de vert, blanc et rouge, les couleurs du drapeau iranien, voilà les spectatrices qui hurlent de plus belle, avant d'amorcer une vague pour fêter le but que vient de marquer Katayoun Khosrowyar, la star nationale du football féminin.

En cet après-midi ensoleillé du printemps 2006, elles ont exceptionnellement envahi par centaines le petit stade Ararat pour venir assister à un match amical entre l'équipe féminine de la République islamique et les Berlinoises d'Aldersimspor. Une première en Iran, où les femmes sont strictement interdites de stade depuis l'arrivée des religieux au pouvoir, en février 1979. « C'est vachement mieux qu'à la télé », roucoule Chaghayegh Chah Hosseini, 14 ans, alias Footy Girl. Fichu bleu sur la tête et baskets aux pieds, cette fan irréductible de l'AC Milan et de Zidane – « *He is muslim, like us !* » – ne rate aucune rencontre diffusée sur le petit écran. Pour la première fois de sa vie, elle peut se laisser aller au plaisir des accolades, des cris perçants et des jurons, à la manière des supporters dont elle a minutieusement observé à la télévision les moindres mimiques. Un peu plus loin, Fatemeh Nowrouzi glousse discrètement sous son voile noir. Elle a fait le déplacement depuis Varâmine, une banlieue populaire de Téhéran, « par curiosité ». « *Kheyli bâhâl hast !* » (« C'est super ! ») jubile-t-elle, en songeant aux froncements de sourcils de son mari quand elle lui racontera ce spectacle inédit.

Sous haute surveillance, l'événement reste cantonné aux femmes – c'est la condition imposée par les autorités iraniennes pour qu'il puisse avoir

Le code de bonne conduite de la Téhéranaise

- Ne pas oublier de mettre votre foulard en sortant dans la rue. Il est obligatoire, même pour les étrangères. Vous êtes d'ailleurs supposées le porter à la minute où votre avion commence à survoler le territoire iranien !
- Ne pas faire la bise ou serrer la main des hommes en public. Ça pourrait déranger certains barbus.
- Mieux vaut éviter de manger un sandwich en pleine rue pendant le mois du Ramadan, si vous ne voulez pas passer l'après-midi à le digérer au poste de police.
- Éviter de trop sourire. Les Iraniennes sont plutôt avares de risettes en public.
- Ne pas tenter d'appeler vos copines entre 14h et 16h. Les Téhéranaises aiment faire la sieste.
- Ne pas oublier de complimenter mille fois l'amie qui vous invite à dîner chez elle. Ça fait partie des *târof* (« manières ») que recèlent les us et coutumes d'Iran.

lieu. Et rigueur islamique oblige, les footballeuses ont dû renoncer aux shorts moulants, au cas où le match serait retransmis plus tard à la télévision. Sur le terrain verdâtre à moitié asséché par la chaleur, les filles ressemblent presque à des extraterrestres avec leurs foulards enroulés sur la tête et leurs pantalons de jogging difformes qui leur couvrent les jambes jusqu'aux chevilles. Si les joueuses sont des *hot babes*, alors ça ne se voit pas. « C'est la première fois que je peux assister à un match, et ça, c'est une avancée ! » s'exclame Chaghayegh, les yeux braqués sur le match. En Iran, la pratique du football au féminin en est à ses tout débuts. C'est seulement à la fin des années 90 que l'équipe nationale féminine est parvenue à être officialisée grâce aux efforts de Faezeh Hachemi, fille de l'ancien président Rafsandjani. Mais, concède la jeune fan de foot, « je préférerais voir des hommes sur le terrain. Avec eux, il y a plus d'action ! » Ça ce n'est pas pour demain. Car, raisons avancées par les autorités iraniennes, les footballeurs y sont « à moitié nus », et les insultes (*foch*) des spectateurs pourraient heurter les chastes oreilles féminines. Exemple : « *Chir-é samovar dar koun-é dâvar* ! » (« Le robinet du samovar dans le cul de l'arbitre ! ») Plutôt poétique pourtant, comparé aux jurons saillants de nos hooligans européens…

Mademoiselle « Footy Girl » – son pseudonyme quand elle tchate sur les groupes de discussions des fans de foot et de l'Internet – a pourtant failli crier victoire en avril 2006. À la surprise générale, le président Ahmadinejad, tenant d'un islam pur et dur, se déclara favorable à la présence des femmes dans les stades. Mais très vite, les grands ayatollahs de la ville sainte de Qom crièrent au scandale, évoquant les risques du « mélange corrompu entre les deux sexes ». Résultat : Ali Khamenei, le guide religieux, numéro un du régime, finit par mettre fin à la polémique en déclarant le projet caduc. À la grande déception des Iraniennes.

« C'était avant tout un coup médiatique d'Ahmadinejad », essaie de relativiser la militante féministe Mahboubeh Abbasgholizadeh, qui dit n'avoir pas cru une seconde à la sincérité de l'offre présidentielle. « À l'heure où l'Iran se trouve sous la pression des Nations Unies pour son programme nucléaire, c'était un moyen de renforcer sa popularité auprès d'une tranche de la société qui n'a pas voté pour lui. C'était de la pure manipulation ! » lâche-t-elle. Épaules et mâchoire carrées et cheveux ultra-courts, Mahboubeh, une activiste de 47 ans, dévouée à la cause de la lutte contre la « ségrégation sexuelle », ne se fait aucune illusion sur une réforme par en haut. « C'est par la volonté des femmes, et non pas par des décisions politiques artificielles que le changement finira par se faire », dit-elle.

Cette volonté, les Iraniennes l'ont manifestée dès novembre 1997 quand, dans l'euphorie de la qualification de leur équipe nationale pour la Coupe du monde 98, à l'issue du match aller contre l'Australie, plus de 5 000 d'entre elles défièrent, pour la première fois, des barrages de police à l'entrée du stade Âzâdi (Liberté), afin d'accueillir le retour des « héros ».

À part pour une finale de Coupe du monde (surtout si la France est qualifiée), en pays gaulois, les filles ont plutôt tendance à déserter l'appartement conjugal les soirs de match pour se mettre à l'abri des vociférations de leur Jules.

Quelques mois plus tard, elles brisaient à nouveau un petit morceau du mur de la séparation des hommes et des femmes en descendant dans les rues pour célébrer, à coups de « youyous », de chants et de danses persanes avec des inconnus du sexe opposé, la victoire inédite de l'Iran contre l'équipe américaine, sous le regard hébété des policiers. À croire que l'interdit est générateur de passion démesurée...

Le béguin des Iraniennes pour le ballon rond ne s'arrête pas là. Casquettes vissées sur la tête, pantalons à la Gavroche, elles sont une petite dizaine à s'infiltrer régulièrement dans les stades, en se faisant passer pour des hommes. Parfois, elles font des heures de route en bus, depuis des villes reculées de province, pour tenter leur chance. Dans la queue, elles s'amusent à réciter les noms de leurs footballeurs préférés.

Leur fronde a même inspiré le cinéaste iranien Jafar Panahi, qui en a fait le sujet de son dernier long-métrage *Off Side* (*Hors Jeu*).

Filmé à travers les mailles de la censure, et récompensé en 2006 au Festival international de Berlin, son film raconte les tribulations de cinq jeunes femmes passionnées de football. Applaudi en Europe, il n'a malheureusement pas obtenu l'autorisation d'être projeté en Iran. « Je me suis toujours penché sur les limites imposées aux femmes », raconte le réalisateur. L'idée du film lui est venue le jour où, assis dans les gradins du stade Âzâdi, il a reconnu, à quelques mètres de lui, sa propre fille, 18 ans, cheveux courts et chemise large, qui était parvenue à se glisser au milieu des hommes.

Le petit jeu n'est pas sans risque. Comme le montre d'ailleurs l'arrestation, par les forces de l'ordre, des cinq effrontées du long-métrage, dans un enclos à ciel ouvert, juste derrière le terrain de football. Dans la réalité, il est même arrivé que les spectatrices rebelles payent encore plus sévèrement leur fronde. Mahboubeh Abbasgholizadeh, la plus téméraire de toutes, en sait quelque chose. Ce fameux match Iran-Bahreïn du 8 juin 2005, dont s'est inspiré Jafar Panahi pour planter son décor, lui a valu un séjour à l'hôpital et une jambe dans le plâtre pendant deux mois.

Gonflées à bloc, Mahboubeh et d'autres s'étaient rassemblées, pour l'occasion, par dizaines, billets en poche, devant une des grilles du stade Âzâdi. Objectif : bloquer l'entrée des autres spectateurs tant que la police leur interdirait l'accès au match. Sur leurs banderoles, on pouvait lire : « Liberté, égalité, justice sexuelle » ou encore « Mon droit fait partie des droits de l'homme ». « Notre intention était de protester contre les paradoxes d'une interdiction qui n'a aucun fondement », se souvient Mahboubeh. Aucune loi écrite n'interdit en effet aux Iraniennes d'assister aux matchs. D'où sa question : « Pourquoi empêcher les femmes d'entrer dans les stades pour assister à un match qu'elles regardent, de toute façon, sur le petit écran ? » Alors que les vigiles du stade se faisaient de plus en plus menaçants si les femmes ne déguerpissaient pas, Mahboubeh s'est retrouvée prise en sandwich entre la grille et les sbires. Résultat : une cheville cassée.

Un an plus tard, la douleur continue toujours à la lancer.

En Iran, la violence dans les stades, ce n'est pas les hooligans abreuvés de bière, c'est les filles en foulards. À choisir, il vaut mieux être flic au stade Âzâdi qu'à Arsenal.

« Ça en valait tout de même la peine », sourit aujourd'hui Mahboubeh, avec du recul. Attaqués par une pluie d'insultes provoquées par l'accident, les policiers finirent, ce jour-là, par laisser passer les plus entêtées. Le soir même, Parastou Dokouhaki, une des « blogueuses » en vogue à Téhéran, parlait de « victoire » sur son journal en ligne, en racontant, avec émotion, son « premier match », aux côtés de quelques dizaines d'autres spectatrices. « Comme l'a dit Mahboubeh, il s'agit d'un succès féminin contre un tabou stupide. Nous adressons nos félicitations à toutes les femmes qui militent en faveur de la liberté. Dommage que les autres copines n'aient pas pu se joindre à nous. La prochaine fois, on ira toutes au stade ! » nota-t-elle dans son compte rendu des événements, lu en l'espace d'une soirée par de plus de 7 000 visiteurs.

Alors, autant dire que lorsque la nouvelle du match inédit disputé entre Téhéranaises et Berlinoises s'est propagée à travers la ville, les rebelles du ballon rond ont aussitôt répondu présentes à l'appel.

Soudain, dans les tribunes du petit stade Ararat, des cris de joie viennent étouffer les rappels à l'ordre du cerbère en tchador noir. Sur la pelouse, les deux équipes viennent de faire match nul (2-2). « *Irân ! Irân !* » se mettent à hurler les spectatrices. Pour les filles d'Iran, c'est un petit pas en avant, dans ce périlleux combat pour reconquérir des droits bafoués depuis la révolution. « Avec le peu d'entraînement et de moyens dont on dispose, on s'en est très bien sorties. Le foot au féminin a de beaux jours devant lui ! » sourit l'entraîneuse Chahrzad Mozaffar, en jubilant de bonheur. À la sortie, une colonne de voitures s'est formée devant la porte principale. Pères et maris sont venus cueillir les supporters de foot au féminin. Pour une fois, ce sont eux qui n'ont pas pu entrer dans le stade. Sur leurs visages, on décèle de grands sourires en forme de points d'interrogation. « Papa, tu ne sais pas ce que tu as raté ! » lâche Chaghayegh en collant une bise à son père.

Téhéran, capitale des jours fériés

Entre les anniversaires de la naissance et de la mort des douze imams chiites, les nombreuses autres fêtes religieuses (Ashoura, Ramadan, etc.), les festivités nationales et révolutionnaires (l'anniversaire de la Révolution, le 11 février, par exemple) et le nouvel an iranien (célébré le 21 mars, et suivi par dix jours de congés), les Téhéranaises sont souvent en vacances. Sans compter le week-end, qui commence ici le jeudi matin, et qui finit le vendredi soir.

La reine du *traaaffiiic !*

« *Azizam*, descends, je suis en bas de chez toi ! » Les doigts vernis accrochés au volant, le foulard noué autour du cou, Pouran a déjà le pied collé à l'accélérateur de sa Pride, petite voiture coréenne noire, prête à démarrer au quart de tour. L'avantage avec Pouran, c'est qu'on habite dans le même quartier. Un coup de fil sur son portable, et elle débarque à toute allure, prête à affronter les embouteillages – « *traaaffiiic !* » en roulant le « r » en persan –, les gaz d'échappement qui vous donnent des maux de tête de 24 heures, et surtout les foudres des regards masculins. Pouran, 47 ans, c'est la reine du raccourci, des tête-à-queue et des jurons les plus croustillants de Téhéran. Elle n'a pas le choix, et elle y prend, en fait, un malin plaisir. Parce qu'une femme au volant d'un taxi, une espèce rare mais récemment « officialisée » par les autorités iraniennes, ça ne court pas les rues. Alors, mieux vaut se faire remarquer pour s'imposer.

Surtout que Téhéran, dont le parc automobile ne cesse d'exploser, c'est plutôt la jungle urbaine comme on l'imaginerait dans les pires cauchemars. L'inverse, à 180 degrés, de Neuilly-sur-Seine un dimanche matin, pour vous donner une toute petite idée. Une sorte de pot-pourri de vieilles Peykan qui vous doublent par la droite, de Mercedes qui s'amusent à faire des zigzags sur le périphérique à 150 à l'heure (il paraît que c'est une technique de drague !), et de motos (il y a plein de motos à Téhéran, conduites sans casque, bien sûr) qui roulent en sens inverse pour prendre des raccourcis. Et je ne parle pas de ces piétonnes voilées qui manquent de se faire arracher le tchador et de se retrouver en petite culotte même lorsqu'elles traversent au niveau des passages cloutés. Et puis, comme dans toute grande mégalopole, il y a des feux rouges et des lignes de démarcation au sol. Mais parfois, on se demande vraiment si cette signalisation sert à quelque chose. Si vous avez le malheur de faire une remarque, on vous hurle dessus. Pouran, elle, hausse les épaules en riant, et en crachant sa formule préférée : « *Boro Djahanam !* » (« Va en enfer ! »)

« La municipalité dans quinze minutes ? Tu rêves », me dit-elle, sur un ton mi-maternel, mi-professoral. J'avais oublié qu'on était en pleine heure de pointe, 17h. En gros, il nous faut traverser la ville du nord au sud, en un quart d'heure. Mission impossible, vu la densité des bouchons et la vision tentaculaire qu'offre cette mégalopole de plus de 12 millions d'habitants. « Accroche-toi, on va quand même essayer ». En un bon coup de volant, nous voilà engagées sur la voie express du périphérique, une de ces nombreuses bretelles modernes et sans âme qui relient les principaux axes de Téhéran. Plus on descend vers le sud, plus les publicités pour montres Rado, portables Nokia et piles Duracell se font rares. À toute berzingue, on dépasse les portraits géants de Khomeini, père de la révolution islamique, et des *chahid*, les martyrs de la guerre Iran-Irak. Images géantes et reproduites à profusion sur les grands immeubles en béton qui longent le périph', tellement intégrées dans le décor qu'on ne les voit même plus. Et là, on prie tous les saints de la terre pour arriver entière à son rendez-vous. Le saviez-vous ? Après l'île Maurice, l'Iran détiendrait les records mondiaux d'accidents de la route...

Avant de se lancer dans le transport pour dames – sa clientèle est exclusivement féminine –, Pouran était institutrice.

Cette mère de trois filles en a gardé un profond sens de la discipline (si, si, discipline, dès qu'on revient aux choses normales de la vie), et des petites manières attentionnées. Ses passagères – étudiantes, fonctionnaires, femmes au foyer que le mari ne laisse pas monter dans un taxi conduit par un homme –, elle les couve comme des oisillons. « T'as encore sauté un repas, j'en suis sûre ! » me dit-elle en jetant un rapide coup d'œil sur mon visage anémique. « Tiens, je t'ai apporté un morceau de gâteau ! » Sur la banquette arrière, un petit sachet m'attend au côté du traditionnel thermos rempli de thé bien chaud. Ah, cette politesse bien persane. La voiture de Pouran, c'est un peu le « taxi-coffee-shop-deli-self-service », un métier dont elle détient l'exclusivité et qu'elle pourrait facilement breveter, tant le concept est séduisant. Avec l'option musique en plus. Quand il fait trop chaud l'été, et qu'on est coincé dans les bouchons, elle ferme les fenêtres et se met à fredonner de vieux tubes à l'eau de rose de l'époque impériale pour couvrir le ronron de la climatisation. Officiellement, les femmes n'ont pas le droit de chanter en République islamique. Mais officieusement, tout est finalement possible dans la capitale des turbans et des barbus.

Morose, Téhéran ? Oui peut-être, à première vue. Mais passée la première épaisseur de la pollution, des portraits de martyrs et des tchadors noirs qui longent les murs, il y a des tas de femmes merveilleuses comme Pouran, pas spécialement plus fanatiques que vous et moi, qui mettent toute leur élégance à survivre dans cette jungle urbaine teintée d'austérité religieuse. Et qui vous racontent avec un humour raffiné comment elles affrontent les galères du quotidien.

Le concept exclusif du taxi-coffee-shop de Pouran vient s'ajouter à la longue liste de taxis qui arpentent quotidiennement Téhéran, des villas huppées du Nord aux faubourgs populaires du Sud. Car ici, le taxi est de loin le moyen de locomotion le plus pratique quand on n'a pas de voiture. Les autobus ? Ils roulent comme des limaces. Le métro ? Ses quatre lignes qui fonctionnent ne sont malheureusement pas reliées entre elles. Reste donc, pour les petits budgets, le taxi collectif qu'on attrape à la volée, d'un geste de la main, et dans lequel on s'entasse, à l'arrière, femmes et hommes mélangés – à l'inverse des bus qui pratiquent la séparation des sexes. On en trouve à tous les coins de rue. C'est en fait un petit boulot d'appoint au noir pratiqué par au moins un tiers des Téhéranais – étudiants, ingénieurs à la retraite, professeurs cherchant à arrondir leurs fins de mois. Un système d'auto-stop, finalement, qu'on paye en fin de course. Pour les budgets moins serrés, on peut opter pour le taxi *darbast*, littéralement « la porte fermée », un véhicule qui vous déposera directement à bon port, et où vous aurez « l'exclusivité » moyennant quelques billets supplémentaires. La voiture de Pouran, c'est finalement la version Rolls Royce du taxi *darbast*.

Cerise sur le gâteau, notre taxiwoman de charme connaît Téhéran sur le bout des doigts. Car avec des rues qui s'organisent en toile d'araignée, des numéros d'immeubles sans ordre logique et des sens uniques qui changent tout le temps, on a sérieusement du mal à s'y retrouver. Ah, et puis ce qui complique encore plus les choses, c'est que tous les noms des rues ont changé après la révolution. En gros, les princes ont été remplacés par les martyrs. Par habitude, paresse (ou résistance ?), certains chauffeurs continuent à se référer aux anciens noms. Merci les quiproquos. Et si erreur d'itinéraire il y a, soyez prévenu, c'est toujours-de-votre-faute ! Les chauffeurs de taxi sont têtus, de mauvaise foi, et souvent mal lunés.

Avec Pouran, c'est autre chose. On s'arrête en chemin pour acheter des melons, on commente le bulletin d'actualités de Radio Payam (le France Info iranien), on s'échange les dernières blagues sur Ahmadinejad. On rit, on vit, on refait le monde, on respire à en oublier (presque) qu'à Téhéran, on perd au moins la moitié de son temps dans les embouteillages. Bon, entre nous, ils ont parfois bon dos, ces embouteillages. Le « *traaaffiiic* », c'est franchement la plaie, « mais c'est un prétexte idéal pour justifier un retard », me glisse Pouran, en voyant les aiguilles de ma montre avancer dix fois plus vite que sa voiture. De cette excuse, tout le monde semble d'ailleurs abuser sans aucune mauvaise conscience. À tel point que s'il vous arrive, fait rare, d'être en avance à un rendez-vous, on risque de vous ouvrir la porte… en pyjama ! Si, si, ça m'est déjà arrivé. Heureusement qu'il y avait, ce jour-là, le thermos de Pouran pour faire passer le temps, en attendant que mon interlocuteur prenne sa douche.

Chirine Ebadi, la dame de fer

Ni plaque de cuivre ni mobilier pompeux. Un simple bureau rempli de livres, en sous-sol d'un immeuble, encastré dans une discrète impasse. Et voilà, enfoncée dans son modeste fauteuil d'avocate, la fameuse Chirine Ebadi, prix Nobel de la paix, star des droits de l'homme et surtout de la femme, l'Iranienne de loin la plus connue au monde ! Celle qui dans ses discours à la « J'accuse » s'attaque, entre les lignes, à la fois à George W. Bush – « La liberté ne s'obtient ni avec les bombes ni avec les canons ! » – et à son homologue iranien, Mahmoud Ahmadinejad – « L'holocauste est un fait douloureux de l'histoire dont on ne peut remettre en question la réalité ! »

La voilà donc, toute petite, toute naturelle, toute ronde. Un visage de lune sans mascara, sans rouge à lèvres flamboyant, sans coup de crayon pour cacher les cernes trahissant des nuits trop courtes et des montagnes de soucis. Bref sans tout le tralala dont raffolent les Téhéranaises. Quand son foulard obligatoire glisse sur ses épaules, ce n'est pas par coquetterie, c'est juste parce qu'il l'agace. Question de liberté. Vous l'imaginiez dans une de ces tours de verre du nord de Téhéran, entourée d'une armée de gardes du corps et d'un régiment de secrétaires aux petits soins ? Raté. Chez Chirine Ebadi, priorité à la simplicité, au travail, et à la famille.

Du haut de ses 60 ans, elle trottine jusqu'à la salle d'attente pour guetter le prochain rendez-vous. À chaque fois, même mission impossible : sortir ses

Humour à l'iranienne

Si les barbus, les enturbannés, les endoctrinés ne sont pas réputés pour leur sens de l'humour, les Iraniennes, elles, adorent rire, surtout d'elles-mêmes. Il y a plein de sites Internet regorgeant de blagues iraniennes (comme par exemple www.jokestan.com, l'un des plus croustillants). Notre favorite : « Dix signes que vous êtes iranienne » :

10. Peu importe le nombre de pompes et d'abdos que vous faites, vous avez une petite bedaine récalcitrante, à cause de tout ce poulet au riz qu'on vous a fait ingurgiter depuis la naissance.
9. La première chose que vous faites le jour de votre treizième anniversaire : vous débarrasser de votre monosourcil.
8. La deuxième chose : vous teindre en blonde.
7. La troisième : vous faire des mèches auburn.
6. Quel que soit votre succès social et professionnel, votre mère et ses copines se lamentent en vous voyant « *Khob, key choharech midi?* » (Mais quand est-ce qu'elle va se marier ?)

(…)

clients de l'abîme, qu'il s'agisse de femmes en cours de divorce, de jeunes filles abusées, de familles d'intellectuels et d'étudiants arrêtés, emprisonnés, tués. Elle s'y attelle minutieusement, même si elle sait que, dans la majeure partie des cas, la justice iranienne finira par enterrer l'affaire. Sans verdict équitable. Ah, et puis ce téléphone qui n'arrête pas de sonner ! Gloire du Nobel oblige, l'avocate de choc est en permanence sollicitée par les ONG internationales, par les ambassades et par la presse de tous les continents. Mais franchement, les mondanités – et par-dessus tout la diplomatie –, ce n'est pas son truc. Parce qu'elle n'a pas le temps, tout simplement. Alors, pour le coup, le *târof* – la fameuse politesse à l'iranienne, enveloppée d'une guirlande de manières – n'a pas sa place chez Chirine. Si vous la dérangez, elle froncera les sourcils, et vous fera comprendre sèchement qu'elle est occupée. On ne la changera pas. Les mauvaises langues y verront une pointe d'arrogance. Mais vu les épreuves endurées pour pouvoir arriver à ses fins, on se dit qu'il faut bien que la petite dame de fer revête une carapace d'acier.

Elle qui décrocha les lauriers très jeune – c'était à l'époque du Chah – en sortant de la première promotion de femmes juges, enchaîna vite les claques au lendemain de la révolution islamique. Dès leur arrivée au pouvoir, les religieux décrètent que les Iraniennes sont, tout simplement, « trop émotives » pour exercer ce métier (!?) À peine mis en place, le Conseil de la révolution s'empresse également de promulguer les textes sur la polygamie, la répudiation ou la garde des enfants. Coup de poignard dans le dos pour cette femme qui, de plus, avait cru, comme beaucoup, à cette révolte au nom de l'indépendance et de la liberté contre le système impérial. Et puis, sur le plan personnel, il y a cette blessure indélébile qui ne la quittera jamais : l'arrestation puis l'exécution sans jugement de son beau-frère Fouad, comme tant d'autres jeunes de l'époque. Son crime : avoir distribué des tracts soutenant le mouvement d'opposition des Moudjahidin du peuple. C'est de cette époque que datent ces terribles migraines qui la prennent tout d'un coup, et ne la quittent pas des jours durant. Comment, dans ces conditions, en effet, ne pas s'empêcher de chercher à se protéger un petit peu. Et à protéger les autres, aussi.

Les autres, ce sont toutes ces femmes qu'elle se met à défendre corps et âme. En tant qu'avocate, cette fois-ci. Il y a bien sûr Leyla, une des causes les plus connues qu'ait défendue Chirine Ebadi, qui défraya la chronique, mais dont le dossier traîne toujours. Layla, c'est cette paysanne de 11 ans violée et assassinée en 1996 par trois malfrats. Selon une loi abracadabrante, ses parents ont dû tout vendre, y compris leur maison, afin d'acquitter « le prix du sang » qu'exige la justice pour financer l'exécution des assassins. Et puis, il y a toutes ces autres victimes d'un système peu favorable aux femmes. Au risque de choquer certains, Chirine Ebadi part du principe que « l'islam n'est pas incompatible avec les droits de l'homme ». Le problème, dit-elle, « ce n'est pas l'islam, c'est la façon dont il est interprété ». « À cause, ajoute-t-elle, de cette culture patriarcale, ce mal profond qui réduit la femme à la moitié d'un homme, et qui rend malade la société iranienne ». Exemple parmi tant d'autres : si un couple de piétons est fauché par une voiture, les indemnités allouées à la victime de sexe féminin sont deux fois moindres que celles attribuées au mari !

Chirine Ebadi avance sur un terrain miné. En l'an 2000, elle a été jetée au cachot pendant une vingtaine de jours pour avoir enquêté sur la répression des mouvements étudiants – un de ses autres chevaux de bataille. À peine libérée, elle a repris sa route, comme si de rien n'était. Fragilisée, certes, mais têtue et persévérante. C'est elle qui, en 2003, a également accepté de prendre sous son aile le dossier Zahra Kazemi, cette photojournaliste irano-canadienne, morte dans un hôpital militaire des suites d'une fracture du crâne survenue lors de sa détention, après avoir été arrêtée alors qu'elle prenait des photos devant l'horrible prison d'Evin.

Qu'est-ce qui fait donc courir Chirine ? Il y a chez ce petit bout de femme un incroyable sens de la résistance, mais aussi du sacrifice, un trait de caractère qu'on retrouve chez beaucoup d'Iraniennes. Et si son Nobel lui a apporté quelque chose, c'est bien la force de continuer, malgré les menaces de mort qu'elle reçoit régulièrement dans sa boîte-aux-lettres.

Parce que les trophées, ça ne l'intéresse pas vraiment. « Après l'annonce du prix, j'ai été accueillie à Téhéran avec de magnifiques gerbes de

(...)

5. Vos tantes vous organisent des rencards avec des « docteurs » velus et bedonnants (vous découvrez qu'en fait, ils sont VRP).
4. Votre horloge biologique fait tic tac depuis que vous savez lire l'heure.
3. Vous pensez que vous êtes la fille la plus belle et la plus classe de l'assemblée. Quand votre copain se met à faire de l'œil au sosie d'Angelina Jolie, vous lui murmurez : « J'ai entendu dire qu'il n'y a que le train qui ne lui est pas passé dessus... »
2. Aux premières mesures de *Baba Karam*, une force invisible vous fait vous lever de votre chaise, et fait onduler vos hanches à s'en faire retourner Elvis dans sa tombe.
Et le signe numéro 1 que vous êtes iranienne :
1. Épilation, épilation, épilation.

fleurs, parfois très coûteuses. Mais de tous ces cadeaux, c'est celui de ma voisine qui m'a le plus touchée : un délicieux potage fait maison », dit-elle tendrement. Pour cette Mère Teresa à l'iranienne, toujours en quête de justice et d'égalité, les vraies victoires sont celles qu'elle a obtenues à l'intérieur du pays : la réforme de la loi sur la garde des enfants (désormais, la mère peut garder ses deux enfants jusqu'à l'âge de 7 ans) et l'augmentation de l'âge légal de mariage pour les filles (passé de 9 à 13 ans). Pas complètement satisfaisant, mais c'est un début. À ses fans qui l'acclament, la juriste iranienne n'a qu'un conseil à donner : « Ne faites pas de moi une héroïne, ce pays a trop pâti du culte des légendes vivantes. »

Chirine Ebadi a beau être aujourd'hui une des avocates les plus célèbres du monde, reçue par les plus grands chefs d'État lors de ses tournées internationales, elle a su rester ce qu'elle est avant tout : une Iranienne, tout simplement. Et c'est pour ça qu'on l'aime, parce qu'elle est vraie. En France, une femme de cette trempe céderait peut-être à la tentation du surgelé Picard ou de la pizza livrée à domicile. Chez Chirine Ebadi, les repas, c'est une affaire de cœur – réflexe oriental… L'appartement familial, situé à l'étage, juste au-dessus de son petit cabinet, c'est « son » domaine. À la maison, c'est elle qui mijote les petits plats. Un témoignage d'amour, dit-elle, à l'égard de son mari, ingénieur, et de sa cadette, 23 ans, qui se prépare, elle aussi, au barreau. L'aînée, 25 ans, fait des études au Canada et revient régulièrement en Iran pour les vacances. « Commander à manger chez un traiteur, il n'y a rien de plus facile. Mais quand on cuisine soi-même, on y met du sien. On consacre du temps et de l'attention à ceux qu'on aime. D'après moi, c'est le plus beau cadeau qu'on peut faire à son entourage », dit-elle, en laissant enfin transparaître un petit sourire à travers ce visage de glace, son « masque » en public.

Pour elle, la famille, c'est sacré. À tel point qu'elle oublie souvent, délibérément bien sûr, de raconter aux siens la moitié de ses soucis. Dans sa vie trépidante, elle s'est d'ailleurs imposé une règle d'or. « À partir de 20h, souffle-t-elle, je décroche le téléphone et j'appartiens à mes proches. » Et puis, une fois les douze coups de minuit sonnés, quand Téhéran commence à peine à s'endormir, notre Chirine internationale retrouve ses carnets de notes. « Les onze livres que j'ai publiés jusqu'à ce jour ont tous été écrits entre minuit et trois heures du matin », murmure-t-elle. Pas de carrosse qui se transforme en citrouille, une fois frappés les douze coups de minuit, notre Cendrillon persane retourne tranquillement veiller à faire la peau à toutes les fées Carabosse du royaume.

Un million de signatures pour la parité

Le lieu et l'horaire de la réunion ont été annoncés par email, et à la dernière minute – une technique désormais parfaitement rodée pour contourner les grandes oreilles des services de renseignements. Un appartement dans une ruelle ombragée. Une petite voix qui vous annone tout doucement la bienvenue, accompagné d'un « chuuuuut ». Une table basse couverte comme d'habitude de confiseries. Des conversations qui s'efforcent de ne pas trop s'élever, pour ne pas éveiller la curiosité des voisins. Une vingtaine de personnes à tout casser, hommes et femmes mélangés. Moyenne d'âge : 30 ans. Le sujet du jour est sensible : lutter pour plus de parité entre les deux sexes. Non pas de manière académique, mais en essayant de mobiliser, dans l'ombre, un maximum de monsieur et madame Tout Le Monde, en faisant signer une pétition destinée à recueillir, au final, un million de signatures.

Tout a commencé après une manifestation de défense des droits des femmes, en plein cœur de Téhéran, sur la place Hafté Tir, réprimée à coups de matraques et d'arrestations, pendant l'été 2006. Ce travail de longue haleine, qui mobilise activistes des droits de l'homme, féministes et militants anonymes, a été savamment réfléchi. Il s'agit, avant de faire signer le document, de distribuer de petits fascicules rédigés dans un style simple et clair, et remplis d'une multitude d'exemples permettant aux Iraniennes de mieux prendre conscience de l'inégalité dont elles sont victimes. Les petits carnets rappellent que, selon la justice iranienne, le témoignage masculin vaut celui de deux femmes. Pire : le témoignage de la sœur d'une épouse victime de violence conjugale est nul. Pour qu'il soit valide, il faut qu'un homme ait également assisté à la scène. Toujours selon la loi, l'épouse désireuse de voyager doit demander l'autorisation de son mari. Autre aberration : un Iranien peut avoir officiellement quatre conjointes. À l'inverse, une femme ayant commis l'adultère sera condamnée à la lapidation. « Malheureusement, insiste ce jour-là une jeune avocate, c'est la triste condition des femmes iraniennes... »

À la fin de la réunion, les jeunes militants anonymes s'embarquent dans une plongée urbaine, en espérant recueillir un maximum de signatures. Un travail de titan, *koutcheh bé koutcheh*,

« rue après rue », destiné à faire bouger toutes ces lois inégales. Mais qui se heurte à d'épineux obstacles. Ceux dressés par les autorités, d'abord. À l'hiver 2006-2007, une trentaine de féministes engagées dans cette campagne ont été interpellées par la police lors d'un rassemblement pacifique devant le tribunal révolutionnaire de Téhéran. Quelques jours plus tard, leurs rares consœurs qui osèrent s'aventurer devant le Parlement iranien pour célébrer la Journée mondiale de la femme furent vite dispersées par la police. Et puis, il y a tout simplement les obstacles de la rue, que de nombreuses femmes se sont elles-mêmes imposées. « Bien souvent, explique une jeune militante, les femmes qu'on croise se disent que cette campagne est inutile, car elles n'ont, jusqu'ici, jamais eu la chance d'être en mesure de donner leur avis. C'est ça que nous essayons désespérément de changer… »

Businesswoman de charme

Vous êtes-vous déjà demandé ce que pouvait être le livre de chevet d'une des femmes d'affaires iraniennes les plus accomplies ? Eh bien, ce n'est pas le dernier Jack Welsh sur les techniques de management, ni le spécial *Elle Décoration*, acheté entre deux avions. C'est, en fait, un pavé de géopolitique sur la guerre Iran-Irak. « J'y apprends la stratégie des combattants, et surtout la patience et la mesure ! » sourit Nazila Noebachari, blue-jeans et foulard coloré. Des enseignements bien utiles, nous dit-elle, pour faire tourner une équipe de 23 personnes – que des hommes ! – et affronter au quotidien une administration teintée de machisme.

À 40 ans, cette *businesswoman* de charme dirige sans faillir l'une des plus grosses compagnies iraniennes de transport international de marchandises, Trafco. Cigarette dans une main, combiné téléphonique dans l'autre, elle saute du persan à l'anglais en passant par le turc. De Dubaï, du Japon, ou d'Europe, les commandes affluent dans tous les sens. Telle une architecte du transport, Nazila Noebachari dessine patiemment le tracé le plus simple, le moins cher et le plus rapide pour envoyer un colis du Guatemala au Turkménistan ou un conteneur de Kaboul à Berlin.

Chez cette célibataire endurcie, le diable ne s'habille pas en Prada. Pour aller traîner ses guêtres sur le port de Bandar Abbas ou à la frontière avec l'Afghanistan, il lui faut du chic pratique – et forcément islamique : des tuniques d'inspiration indienne qui lui tombent au niveau du genou et des châles en coton qui s'efforcent de retenir ses longues mèches folles qui dépassent de partout. C'est sûr que ça peut déplaire aux garde-frontière ou à la police des douanes, surtout en province. Mais tout sourire, Nazila sait les remettre poliment à leur place, sans pour autant créer une seconde révolution. L'art de la patience, et de la mesure… « Notre métier est double », concède Nazila Noebachari, avec cette moue espiègle qui faire taire ses détracteurs. « Tu dois faire ton boulot de façon professionnelle, et tu dois gagner le respect des hommes », dit-elle.

Son boulot, c'est sa vie. Les trois téléphones portables sont toujours branchés, même pendant les vacances. À la pause déjeuner, Nazila dévore les photos de nouveaux modèles de camions, avec la même gourmandise que la plupart des autres Iraniennes de son âge feuillettent des magazines de mode féminine. Atypique ? Peut-être. Nazila, c'est tout un symbole.

Avocates, chefs d'entreprises, directrices d'écoles, consultantes en marketing, les Iraniennes ont désormais réinvesti, à force de coups de poing, une multitude de corps de métiers. Leurs congénères afghanes ou irakiennes les regardent avec envie. Les rares statistiques disponibles ne sont pas extraordinaires, mais elles sont encourageantes. La proportion de femmes actives iraniennes a chuté de 10,8 %, en 1976, à 6 %, en 1986, pour ensuite augmenter jusqu'à 8 % en 1996. Un chiffre qui devrait faire de nouveaux bonds vers le haut, avec l'arrivée des étudiantes de la nouvelle génération sur le marché du travail.

Nazila est optimiste. « Quand j'ai commencé, nous étions seulement trois femmes dans le métier en Iran. Aujourd'hui, vous trouvez des Iraniennes dans la plupart des compagnies de transport », explique-t-elle, avec une pointe de fierté.

À lire

- *Iranienne et libre*, de Chirine Ebadi (Éditions La Découverte). L'avocate iranienne, prix Nobel de la paix 2003, à la pointe du combat des femmes en Iran, y raconte son parcours semé d'embûches.
- *Comme tous les après-midi*, de Zoyâ Pirzâd, Éditions Zulma. La romancière iranienne dépeint, sous forme de nouvelles, le quotidien des Iraniennes, entre les factures à payer, la cuisson des haricots et la mort d'un proche.
- *Persépolis*, de Marjane Satrapi (Éditions L'Association). Cette BD hilarante raconte la vie d'une petite fille iranienne grandissant à Téhéran pendant la révolution islamique.
- *La conquête du jardin*, Poèmes de Forough Farrokhzad traduits du persan par Jalal Alavinia (Éditions Lettres persanes, 2005). Une belle introduction aux vers de Forough Farrokhzad (1935-1967), une des plus belles voix de la poésie persane. Elle fut la première poétesse iranienne contemporaine à s'exprimer en tant que femme.

« Ce régime ne nous a jamais fait de cadeau, dit-elle. Tout ce que les femmes ont pu obtenir jusqu'ici, c'est grâce à leurs efforts ! » Mais leur chemin est encore long. Si elles peuvent se retrouver à la tête d'entreprises, elles n'ont toujours pas accès à certains métiers, comme celui de juge.

Fliquettes à l'iranienne

« Vos papiers ! » Contrôle de routine un soir d'été sur Vali Asr, la plus grande artère de Téhéran, bordée de gargotes et de boutiques. Tiens, pour une fois, c'est un policier au ton doux et à la voix posée. À moins que… Oui, c'est une femme, une de ces nouvelles fliquettes iraniennes déjà rebaptisées « *batwomen* » par les copines qui ont eu l'occasion de les croiser. « Enchantée », suis-je tentée de répondre, en levant la tête. Ça faisait tellement longtemps que j'en entendais parler ! C'est vrai qu'elles sont plutôt surprenantes avec leur tchador noir et leur matraque en main. Mi-chauves-souris, mi-troncs d'arbre, prêtes à vous tomber dessus à tout moment. Enfin, je dois dire que moi, je l'ai échappé belle. Mon interlocutrice est plutôt bien lunée. « Ma fleur, si tu ne veux pas faner trop vite, prends soin de redresser ton foulard », me glisse-t-elle en faisant la moue. Je m'exécute, en poussant un soupir de soulagement. De l'autre côté du trottoir, ça barde sérieusement. Parce qu'elles ont trop montré leurs mollets, mis en valeur par de jolis pantacourts moulants, deux pintades en foulard se sont fait pincer par des femmes flics. Au mieux, elles s'en sortiront avec une amende. Au pire, elles finiront la soirée au poste. Pas très réjouissant.

Ces gardiennes de l'ordre, tant redoutées par les Iraniennes, font la fierté des responsables du régime de Téhéran. Elles incarnent, à entendre leurs supérieurs, la Marianne de la République islamique. « Courageuses, téméraires, combattantes… » Elles seraient, pour eux, la preuve que, dans la société iranienne d'aujourd'hui, les femmes ont une vraie place, un rôle à jouer. Bref, à l'opposé des clichés de la musulmane cantonnée à sa cuisine. Ces unités spéciales, qui ont vu le jour en 2003, après plus de 20 ans d'interdiction d'accès à ce métier, reçoivent, en plus, une formation à faire rougir les hommes. À l'académie de police, où règne une discipline de fer, elles tâtent du métier sous toutes ses formes : escalade, tir, désamorçage de bombe, simulation d'arrestation. Pour se faire les biceps, elles ont droit aux cours de karaté. Sans oublier les courses-poursuites au volant d'une voiture, à travers les embouteillages de Téhéran. Le tout en évitant de perdre son tchador en route. Du culot, c'est vrai qu'il en faut pour devenir une James Bond Girl enfoulardée.

Mais dans le genre émancipation féminine, on peut rêver mieux. Car attention, leur mission reste cantonnée à la chasse… aux Iraniennes. « Il y a une augmentation de la criminalité chez les Iraniennes. Et le problème, c'est que notre religion n'autorise pas un inconnu à toucher une femme. Il y avait donc un besoin urgent de former des policières », se justifie un officier. Oui, mais cette affaire ne fait que renforcer la ségrégation. Comme si les sections féminines dans les bus, les cours de gym pour femmes et les projets de parcs réservés au second sexe ne suffisaient pas déjà. L'idée part peut-être d'une bonne intention, mais si je me fais un jour voler mon sac par un homme, Batwoman n'aura pas le droit de l'arrêter.

Who's who ?

Dans la galerie de portraits iraniens qui ornent les devantures des boutiques, qui s'affichent en poster dans la rue, et qui font souvent la une des journaux locaux et internationaux, voici quelques noms à retenir pour ne pas s'emmêler les pinceaux :

L'ayatollah Khomeini
Turban noir des descendants du prophète et barbe blanche, il est décédé en 1989. C'est le leader de la révolution islamique de février 1979 qui renversa le régime du Chah.

L'ayatollah Ali Khamenei
Un enturbanné lui aussi, le personnage le plus puissant du pays. Il a remplacé Khomeini, après sa mort, au poste de « guide suprême », un titre lui accordant les quasi pleins pouvoirs, à la fois politiques et religieux.

Mohammad Khâtami
Surnommé « le mollah qui sourit », il a été le Président (aux pouvoirs limités) de la République islamique d'Iran de 1997 à 2005. Connu pour ses timides tentatives de réformes.

Mahmoud Ahmadinejad
Le nouveau Président depuis 2005, lui, n'a pas de turban. Mais ce n'est pas un laïc pour autant. À la fois populiste et islamiste, c'est un ancien des Gardiens de la révolution, l'armée idéologique du régime.

Ali Larijani
Monsieur « nucléaire » a la barbe rousse et de petites lunettes fines. Il est le négociateur principal dans l'épineux dossier nucléaire iranien, au cœur de la crise actuelle entre Téhéran et les capitales occidentales.

2. Jamais sans mon cabas

Shopping sur Vali Asr

S'il est une avenue à laquelle s'identifient les Téhéranaises, c'est bien Vali Asr. Ah, Vali Asr, impossible d'y échapper. Cette longue artère, l'une des plus longues du monde, qui s'étire sur 18 kilomètres du nord au sud, c'est un peu la colonne vertébrale de la capitale iranienne. On y voit de tout. On y croise de tout. On y trouve de tout. Bruyante, insomniaque, anarchique, elle est un axe incontournable du shopping téhéranais. Vali Asr, c'est un peu Broadway, toujours grouillant de monde, c'est nos chers Champs-Élysées, les foulards et la pollution en plus et les terrasses de café en moins. C'est sur Vali Asr que les Téhéranaises, petit fichu sur la tête et sac à l'épaule, s'adonnent au plaisir du lèche-vitrine, en zyeutant de belles robes de soirée, portées par des mannequins sans seins ni tête – trop sexy au goût des puritains du régime. C'est sur Vali Asr qu'en fin de soirée bien arrosée, les fêtards clandestins de la capitale viennent s'approvisionner en chewing-gums à la menthe – pour couvrir leur haleine alcoolisée – dans l'un des petits kiosques à journaux, ouverts jusqu'à l'aube. C'est sur Vali Asr, aussi, que les lève-tôt – ou couche-tard – se pressent dès 6 heures du matin aux portes des gargotes bon marché pour déguster le fameux *kalé pâtché*, un mélange d'abats. « Tant que tu n'en as pas mangé, tu ne peux pas comprendre ! » m'explique une amie en me voyant faire une moue de dégoût. Mais, pour le coup, je préfère sécher sur les abats, quitte à manquer un délice persan.

En farsi, Vali Asr signifie « le maître du temps », en référence à l'imam caché, Mahdi, le douzième imam de l'islam chiite, censé réapparaître pour répandre la justice sur terre. Tout un programme. C'est vrai qu'ici, Vali Asr est le maître de votre temps, parce que les embouteillages y sont tellement dingues que vous arriverez sans doute en retard !

Les meilleures tripes de la ville

Sur la fameuse avenue Vali Asr, un peu plus bas que le carrefour « Park Weil », rendez-vous au restaurant Le kalé pâtché Ferechteh pour déguster les meilleurs abats de Téhéran, qui se mangent, avis aux lève-tôt, juste avant le lever du jour, à 5h du matin. L'établissement le plus connu et le plus propre de la capitale. Allez, ne faites pas la grimace, c'est plein de vitamines.

Bazar, mode d'emploi

Si vous prévoyez une virée dans cette caverne d'Ali Baba qu'est le **Grand Bazar de Téhéran**, ne vous y prenez pas en fin d'après-midi. C'est le matin que l'activité y bat son plein. L'entrée principale se trouve le long de l'avenue du 15 Khordad. Ne ratez pas le **Bazar du Vendredi**, c'est le « marché aux puces », qui se tient une fois par semaine dans le parking d'un grand centre commercial, juste derrière l'ambassade de Turquie, dans le sud de la ville. Allez-y surtout pour ses étoffes turkmènes, ses miniatures persanes, ses plateaux en étain. Marchandez ! Ça fait partie du jeu.

Avant la révolution, l'avenue s'appelait Pahlavi, du nom de la dernière famille royale. Mais en 1979, les religieux se sont empressés de la rebaptiser, à l'instar des autres rues trop « connotées ». Aujourd'hui, son nom, qui évoque donc celui qu'on attend, est supposé inspirer la patience. C'est tout l'inverse qu'offre ce long ruban de bitume, scène de tous les soubresauts qui agitent la ville. C'est ici que sont passés les étudiants en colère, à l'été 1999, en hurlant pour la première fois : « Mort au guide religieux ! » Vali Asr héberge également le grand théâtre de la Ville où l'on joue discrètement, à guichet fermé, des pièces « subversives » d'auteurs occidentaux. Vous savez, ceux qu'on appelle classiques du XXe siècle comme Beckett, Genet ou Ionesco.

Poumon – un peu vicié – de la capitale, elle attire bien évidemment les sièges sociaux des plus grandes entreprises, y compris les françaises comme Total, Renault, Air France. Sans oublier les enseignes de marques occidentales, comme les vêtements de sport Puma pour n'en citer qu'une. Pour croiser le plus grand concentré de midinettes bon chic bon genre, les sacs Mango, Benetton et Giordano portés à bout de bras, il suffit d'un petit détour par la place Vanak, entourée de galeries marchandes. Besoin d'un logiciel piraté ? Au centre commercial Mirdamad, on vous vendra la copie du dernier Windows XP pour l'équivalent de 5 euros. Envie d'acheter le DVD du dernier Spielberg ? « Pss, j'ai ce qu'il vous faut », vous glissera un jeune Téhéranais, le sac à dos rempli de films *mamnou'* (« interdits »), devant le parc Mellat. Et pour remplir son cabas de ménagère, une seule adresse : le Bazar Tadjrich, à l'extrémité nord de Vali Asr, caverne d'Ali Baba des fruits et légumes. Les Téhéranaises ne sont pas très supermarchés, d'ailleurs ils se comptent sur les doigts de la main. Elles préfèrent naviguer à travers les allées encombrées de Tadjrich, pour faire un brin de causette avec le vendeur de primeurs, et marchander avec le boucher qui a encore augmenté ses prix. Parfois, surgi de nulle part, un petit vendeur de rue vous tire sur le foulard, une perruche accrochée à son épaule, et distribue, contre quelques rials, des poèmes de Hâfez, le grand poète persan. Charmant !

Vali Asr est trop longue pour qu'on songe à la parcourir à pied – même avec un de ces masques antipollution censés vous protéger des gaz d'échappements. Pour se déplacer sur cette avenue à rallonge, mieux vaut saisir au vol un des nombreux tacos rouillés qui crachent des fumées noires et où l'on s'entasse comme dans un poulailler. Poste idéal d'observation, c'est un parfait baromètre pour glaner les dernières blagues, rumeurs politiques et tendances du jour. « Savez-vous comment s'appellera la route qui va relier Téhéran au nord du pays ? » lance un conducteur, ingénieur le matin, épicier l'après-midi, à la cantonade. « *Chahid Ahmadinejad !* » (« le martyr Ahmadinejad ») Signe d'une fronde croissante contre le Président iranien, que certains rêvent déjà d'enterrer.

En cas d'extrême urgence, il y a toujours moyen de s'accrocher au dos d'une *peyk*, une des motos-taxis qui font la navette du matin au soir. Vu la conduite iranienne, l'arrivée en une pièce à bon port n'est pas garantie… Mais le spectacle en vaut, au moins une fois, le risque. Le museau à l'air, on prie pour que le foulard ne s'envole pas comme une feuille morte, et on s'accroche au blouson du monsieur qui conduit, en évitant de se demander si la chose est *haram* (illicite) ou *halal* (acceptée).

Au fil de la descente, on glisse du nord, mélange anarchique de gratte-ciels et de villas huppées, aux bâtisses à toits bas du sud, plus populaire, qui gravitent autour de la gare ferroviaire. En l'espace de 18 kilomètres, Vali Asr passe d'une altitude de 1 600 à 1 100 mètres. Peu à peu, les manteaux cintrés « seconde peau » cèdent la place à des voiles plus sombres, plus longs, plus épais. Les ruelles qui croisent Vali Asr sont souvent étroites et escarpées. À l'angle d'une impasse, on peut admirer une villa de style Qadjar, décorée de mosaïque. Elle semble avoir survécu à toutes les époques.

Au détour d'un carrefour, les livreurs de *sangak* (pain traditionnel cuit au feu de bois) font la tournée

La *peyk* multiservice

Derrière ses allures tiers-mondistes et désordonnées, Téhéran vit au rythme d'une capitale occidentale, avec des services qui sont parfois plus efficaces qu'à Paris. Prenez la *peyk*, cette petite moto multiservices qu'on appelle à la dernière minute pour envoyer un courrier express, faire livrer des fleurs, ou payer le boucher du coin chez qui on a laissé une ardoise. Vous avez oublié vos clefs chez le coiffeur ? Vous n'avez pas le courage de traverser les embouteillages pour aller récupérer votre billet d'avion pour Machhad ou pour l'île de Kich ? Un coursier sympathique, au guidon de sa bécane, s'empressera de venir à votre secours. Et si vous êtes en retard à votre rendez-vous, il y a toujours moyen de grimper à l'arrière de la *peyk*. Mais attention, mieux vaut avoir du sang-froid, et des aspirations aventurières à la Indiana Jones. Les zigzags à travers les embouteillages, ce n'est pas ce qu'il y a de plus zen.

des restaurants, où les ouvriers du coin savourent leur *dizi* (pot-au-feu) quotidien. Par temps dégagé, on aperçoit, derrière toute cette agitation, les sommets enneigés de l'Alborz qui dominent la capitale. Tout en zigzagant à travers les voitures, on contemple les majestueux platanes qui s'échappent des *djoubes*, ces larges caniveaux où déferle la neige fondue des montagnes. Et là, on écoute en souriant le ruissellement de l'eau qui se mêle à la cacophonie des klaxons en se disant que franchement, Téhéran a « de la gueule ». Non, à première vue, elle n'est pas vraiment belle, comme une femme qui cache sa beauté intérieure sous son foulard. Oui, elle est sauvage – comme une amante fugitive. Mais elle est tellement photogénique, tellement vivante qu'elle finit par vous apprivoiser.

Le Bazar de Tadjrich

Au pied des montagnes qui dominent la capitale, la Téhéranaise en quête de produits frais vient y remplir son panier au moins une fois par semaine. Du matin au soir, le Bazar de Tadjrich grouille de monde. Ça s'agite, ça bouillonne de partout. Derrière leurs étals de légumes, de fruits juteux et de bon poisson, les vendeurs interpellent les clientes en glissant une blague, en chantant un vieux poème ou en leur offrant un morceau de pastèque. Ça vaut le déplacement, rien que pour l'ambiance.

Je me suis perdue dans le Grand Bazar

On y va pour s'y acheter un tapis, et puis on rentre chez soi, le soir, épuisée, avec une panoplie d'étoffes, de colliers en argent, d'assiettes en céramique et de calligraphies. C'est un peu ça, le Grand Bazar de Téhéran. Un tourbillon de marchandises, toutes plus alléchantes les unes que les autres, d'où le porte-monnaie ne sort jamais indemne. Un immense labyrinthe plein de charmes aux voûtes ornées d'incroyables céramiques où l'on a vite fait de perdre la tête et le sens des économies.

Coincé dans le Sud traditionnel, on le devine à peine de l'extérieur tellement il est perdu au milieu de l'enchevêtrement des toits. Une fois traversé le mouvement perpétuel des motos, des taxis et des camions de livraison, on emprunte une des portes en arcade ouvertes sur la rue, et on se glisse, en retenant sa respiration, dans ce rectangle couvert de 2 kilomètres carrés interdit d'accès aux véhicules. Une ville dans la ville avec ses galeries, ses banques, ses boutiques, ses mosquées.

Et là, première mission : s'efforcer de ne pas perdre de vue l'amie souriante qui vous sert de guide. « *Takhfif* », vous souffle-t-elle à l'oreille, en guise de rappel, avant d'entamer les achats. *Takhfif*, réduction, bon prix : c'est le mot magique qui sauvera votre portefeuille. Un grand classique du genre, les vendeurs vous annoncent le double du tarif estimé. Ici, ne pas marchander est presque une insulte, définitivement une faute de goût. Pour répondre au commerçant, on lance un prix trois fois trop bas, tout le monde prend des mines offusquées, on repose l'article en faisant mine de sortir, le vendeur offre un meilleur prix, au bout de vingt minutes, on finit par se serrer la main, et on ressort en ayant le sentiment d'avoir fait une bonne affaire... le vendeur ayant sans doute le sentiment de bien vous avoir roulée. Au Bazar, les allées sont organisées par corps de métiers : la papeterie d'un côté, la lingerie de l'autre. Un peu plus loin, les orfèvres, les épices, les cordonniers. Et, passage incontournable, les tapis persans. En soie, en laine, tissés à la main, ou fabriqués à la chaîne, il y en a pour tous les goûts. « *Khoch Âmadid !* » À peine passée la porte d'une des échoppes que les tasses de thé se mettent à valser. Et vous voilà assise sur une petite chaise en bois à siroter le breuvage de bienvenue. Pendant ce temps, trois apprentis sont déjà en train de dérouler sous vos yeux les trésors de l'arrière-boutique. Madame appréciera sûrement les *kilims*, aux imprimés simples et rectangulaires... Ou madame serait-elle plus tentée par un vrai *farch*, tapis persan dans lequel on retrouve parfois les motifs des mosaïques ? À moins que madame ne préfère les *gabeh*, plus moelleux, incrustés de dessins naïfs...

C'est en fait un tapis en soie accroché au mur, sur lequel un poème populaire a été brodé, qui finit par attirer mon attention : « À l'arrivée des invités, ma maison s'est illuminée. Ma demeure est une lanterne. Le visiteur est une bougie, et moi je suis le papillon », peut-on lire en lettres persanes calligraphiées. Dans la symbolique de la poésie persane, la bougie fait référence à l'être aimé et le papillon incarne le soupirant prêt à se consumer par amour. Difficile de résister à ces

La rue Manouchehri

La fameuse rue des antiquaires, repaire prisé des amateurs de bijoux anciens, de céramiques et de vieilles boîtes en papier mâché. Ces petites boutiques aux mille et une merveilles sont tenues, pour la plupart, par des membres de la minorité juive d'Iran – eh oui, ils sont encore 20 000 à vivre en République islamique. On y trouve pêle-mêle de vieux manuscrits de la Torah rédigés en hébreu à côté de tapis d'Ispahan et de calligraphies coraniques. Coup de cœur spécial attribué à Moses Baba et son échoppe qui donne sur l'ambassade de Grande-Bretagne. « Thé ou vodka ? » plaisante-t-il, avant d'étaler devant vous ses dernières étoffes. Perdu dans son monde où les rêves se mêlent à la réalité, le petit homme aux cheveux grisonnants raconte fièrement qu'il reçut, en leur temps, le général De Gaulle, Alain Delon, Gina Lollobrigida ou encore Lady Diana... Moses est toujours aux petits soins pour ses clientes, même moins illustres.

subtiles métaphores. Allez, on se dit que ça vaut quand même le coup de demander le prix de ce petit tapis, puisqu'on s'est déplacée jusqu'ici. Et on se surprend à en négocier, sans tarder, son achat. L'amie qui vous accompagne, et qu'on a bien sûr perdue entre-temps, nous avait prévenue : « On ne ressort jamais indemne du Bazar. C'est un lieu envoûtant. »

De chaque côté des grands couloirs du Bazar se dressent de jolies cours qui donnent sur des ateliers, des petits garde-meubles et d'autres magasins. Il fut un temps où ces espaces abritaient des caravansérails, des *madreseh* – écoles religieuses – et des bains publics. Et là, assis sous une des voûtes, un marchand viendra vous conter l'histoire du vieux Bazar, son architecture, ses enjeux économiques. Au fil de la conversation, on succombera, une fois de plus, à la tentation de lui acheter quelques miniatures persanes, des plateaux en étain et quelques jolis oiseaux en bronze.

Il reste une petite heure avant que les commerçants ne tirent leur rideau de fer, suffisamment, donc, pour aller jeter un coup d'œil sur les bijoux. Ça ne coûte rien de regarder, après tout. D'une vitrine remplie de petits pendentifs en turquoise émane discrètement une voix orientale sur fond disco. C'est une cassette illicite de Gougouch, la chanteuse culte des années 70 en Iran, interdite de concert depuis la révolution. Par curiosité, on pousse la porte pour écouter les paroles. « Étranger bien connu, reviens, je t'aime », fredonne la diva des années folles, celles du boom pétrolier et de l'occidentalisation à outrance.

Perdu dans ses pensées en noir et blanc, Mahmoud, le vendeur, se met à évoquer le Téhéran de sa jeunesse, celui des concerts dans les cabarets de la rue Lalehzar, non loin du Bazar. « Les dames de l'époque, elles avaient bon goût. Elles s'habillaient comme vous, les Parisiennes », murmure-t-il, mélancolique. Et tout en mêlant savamment nostalgie et ruse marchande, le voilà qui déballe une collection de colliers en argent. « Ça vous irait si bien, c'est tellement parisien ! » Impossible de ne pas se laisser tenter par cet achat – le dernier, c'est promis –, ne serait-ce que pour le remercier d'avoir fait revivre un peu de ce passé téhéranais qu'on a du mal à imaginer dans l'océan de grisaille qui enveloppe aujourd'hui la capitale. La nuit est soudainement tombée sur Téhéran. Dehors, les boutiquiers ont allumé leurs petits lampions colorés. Oh, très jolies, toutes ces épices disposées par groupes de couleurs. Mais cette fois-ci, au fond du porte-monnaie, il ne reste plus qu'un billet vert. Tout juste de quoi attraper un taxi.

La cerise (islamique) sur le gâteau (danois)

Quand la géopolitique se mêle de pâtisserie, il y a péril dans l'assiette. Et il n'y a pas si longtemps, les Téhéranaises ont failli en perdre leurs papilles. Petit rappel. En septembre 2005, la publication des caricatures du prophète Mahomet dans un journal danois provoque une vague de contestation à travers le Moyen-Orient. Dans les semaines et les mois qui suivent, les ambassades du Danemark sont prises d'assaut et mises à sac. Après le Pakistan, la Syrie et le Liban, l'Iran met à son tour les pieds dans le plat. Et l'affaire a vite fait de déteindre sur… la gastronomie. Pour marquer le coup, la police iranienne en charge des commerces décide, non pas de boycotter, mais de débaptiser les douceurs préférées des Iraniennes – ils sont durs, les mollahs, mais pas inhumains ! Les fameuses *chirini danemarki* – pâtisseries danoises –, ces pâtes feuilletées moelleuses confectionnées en Iran depuis plus de quarante ans, et qu'elles adorent grignoter autour d'une tasse de thé. Leur nouveau surnom en vigueur : « les Roses du Prophète » – *Gol-é Mohammadi*, en persan.

Du jour au lendemain, c'est le drame. Sur la grande avenue Pasdaran, l'enseigne d'une des maisons mères – et aveu de gourmande, mon centre d'approvisionnement hebdomadaire en sucreries – disparaît sous un gros trait de peinture blanche. Outrage suprême au chic téhéranais, les emballages sont rayés au marqueur noir. Pas très *design*. Pour un peu, on en perdrait son latin – son persan – de cuisine. Désormais, pour passer commande, il faut prononcer le mot magique, « pâtisseries du Prophète ». Heureusement que le goût, lui, n'a pas changé. L'affaire est grotesque, mais finalement pas beaucoup plus que les bonnes vieilles *French fries* qui ont été un temps débaptisées par le Congrès américain pour devenir les « *Freedom fries* » au moment des tensions franco-américaines avant la guerre en Irak.

Mais, petite victoire sucrée, la gastronomie aura fini par l'emporter sur la cuisine diplomatique. Après des mois de tensions géopolitiques et de censure culinaire, les « pâtisseries danoises » ont finalement retrouvé, miracle, leur enseigne. Et les Iraniennes leur gourmandise.

L'art du thé

Ne faites pas l'affront aux Téhéranaises de leur servir du thé en sachet. Elles le boiront avec réticence, en faisant suffisamment de grimaces pour vous faire comprendre qu'il ne vaut mieux pas vous aventurer à recommencer. Ici, on ne rigole pas avec le thé. Cette boisson fédératrice, ciment social, se savoure à longueur de journée et se prépare selon un vieux rituel bien persan. Il faut d'abord faire bouillir (*dam kardan*) les feuilles de thé dans une petite théière qui forme un chapeau au-dessus du samovar. Puis remplir à un tiers les petites tasses du concentré noir qui se forme, sur lequel on verse jusqu'à ras bord l'eau bouillante du samovar. Et pour celles qui veulent se faire la totale, on glisse un petit cube de *ghand* (sucre) dans sa bouche et on le fait fondre en ingurgitant le thé bien chaud. En persan, cette technique a un nom bien précis : le *ghandpalou*.

L'alchimiste et son fourneau volant

Les bijoux de Karimkhan

On ne sort jamais indemne de Karimkhan. Comment en effet de résister aux parures en or, bracelets incrustés de diamants et bagues ornées de pierres précieuses exposés dans les vitrines de ce quartier central de Téhéran... Ici aussi, mieux vaut marchander. Mais les tarifs, rassurez-vous, restent toujours compétitifs par rapport aux bijouteries parisiennes. Et petite astuce qui intéressera les lectrices : certains joailliers pratiquent l'art de la « copie conforme ». Si vous leur apportez la bague de votre grand-mère, en une semaine, ils vous fabriqueront la réplique à moitié prix ! Ni vu ni connu.

Vous n'avez jamais été invitée chez une Téhéranaise ? Je vous donne une mise en bouche, un simple aperçu, disons un avant-goût, histoire de vous mettre dans l'ambiance. D'abord, avant d'arriver, ne pas oublier le bouquet de fleurs – vous savez, ces gros bouquets colorés, entourés de mille rubans de raphia irisé que le fleuriste du coin mettra une demi-heure à minutieusement préparer pendant que vous regarderez nerveusement votre montre, en pensant aux embouteillages qui vous attendent. Mais votre hôtesse, ça lui fera tellement plaisir. «*Dasté chomâ dard na koné !* » vous glissera-t-elle avec un grand sourire. Mot à mot : « Que votre main n'ait pas mal ! » Une de ces jolies formules de politesse, à dormir debout certes, dont recèle la douce langue persane. Ne soyez pas non plus étonnée si, au détour d'une phrase, elle vous annonce qu'elle est prête à se sacrifier pour vous (« *Gorbonet beram !* »). Il s'agit tout simplement d'un témoignage d'amitié.

Allez, tant qu'on est dans la série des expressions, en voilà une autre : « *Khasté na bâchid !* » (littéralement « Ne soyez pas fatiguée ! ») « Quoi, qu'est-ce qu'elle a ma gueule ? J'ai l'air si épuisée que ça ? » se demandera la Française qui débarque pour la première fois à Téhéran. Cette phrase fait partie des « tics » de langage qu'on vous sort à toutes les sauces et à longueur de journée. Au téléphone, elle surgit dans la foulée du bonjour-comment-ça-va ? Même le présentateur du journal télévisé en raffole, juste après la petite formule d'usage, vous savez, le fameux « Au nom de Dieu le tout-puissant et le miséricordieux ». Ça peut finir par être agaçant, mais on vous aura prévenue.

Que vous débarquiez à l'improviste ou que vous soyez attendue, la table basse du salon sera toujours en train de crouler sous le poids de mille et une tartelettes, pistaches, amandes, nougatines, clémentines… Et j'en passe. À peine assise qu'une main accueillante viendra vous tendre une assiette – à remplir à profusion, au risque de froisser votre hôtesse ! – et une tasse de thé parfumé. S'il est un art dans lequel les Téhéranaises excellent, c'est bien celui de la réception. Mettre les petits plats dans les grands, elles adorent !

Si vous êtes conviée à une *mehmouni* – littéralement, une invitation, mais en réalité, une sorte de somptueux dîner, comprenant plusieurs dizaines de convives –, ne soyez pas surprise par la disposition des chaises, toutes collées le long du mur, comme si on veillait un mort. Franchement, ce n'est pas très pratique pour converser avec les autres invités. Mais c'est comme ça que les Iraniennes aiment recevoir. Ne me demandez pas pourquoi. Peut-être, me dis-je, pour laisser la place aux petiots, qui préfèrent venir divertir l'assemblée plutôt que retrouver le marchand de sable. D'ailleurs, à l'inverse de notre discipline bien française, les parents laissent faire sans broncher. Parfois, en fin de soirée, un convive se met à déclamer des poèmes, un autre sort sa guitare, et quelques invitées inspirées par la musique se mettent à remplir ce vide central en improvisant des danses persanes. Mais bon, au début, on s'assied sur sa chaise, et on se regarde en chien de faïence en distribuant des sourires à l'assemblée. Comme un refrain qu'on entend à longueur de journée, les questions habituelles commencent à fuser.

– *Iran behtar hast ya Faransé behtar hast ?* (Qu'est-ce qui est mieux, l'Iran ou la France ?)

– Euh, disons que ce sont deux pays très différents. Là-bas, par exemple, on n'est pas obligée de mettre le foulard dans la rue…

– Oui, c'est vrai. Mais là-bas, on enferme les personnes âgées dans des prisons !

– Euh, non, ça s'appelle des maisons de retraite…

– *Na bâbâ !* Quelle honte ! Quelle tristesse ! Nous, on garde les grands-parents à la maison, jusqu'à ce qu'ils meurent.

Choisir son caviar

Ah, le caviar, second « or noir » de l'Iran, juste après le pétrole… Au risque de décevoir les touristes de passage, il est très difficile d'acheter du caviar dans la capitale iranienne. L'équivalent iranien de notre foie gras, composé des œufs précieux des esturgeons de la mer Caspienne, est essentiellement destiné à l'exportation. À moins d'aller flâner du côté du marché aux poissons, juste à côté du Bazar du Vendredi, au sud de la ville, où les vendeurs vous proposent des arrivages tout frais du nord du pays. Mais surtout, goûtez sur place avant d'acheter, car le conditionnement laisse parfois à désirer. Pour une qualité garantie, on pourra toujours se replier sur la boutique *duty free* de l'aéroport et choisir entre le béluga, l'ossetra et le fameux sévruga, élu par les connaisseurs comme le meilleur de tous les caviars pour ses petits œufs gris foncé. Préparez votre porte-monnaie. Une toute petite boîte de 50 grammes de caviar vous coûtera au moins l'équivalent de 100 euros. Mais un petit caprice de temps en temps ne fait pas de mal à la santé. Il paraît que c'est le meilleur remède contre l'anémie…

Livraison à domicile

Trop paresseuse pour sortir faire ses courses ? À Téhéran, rien de plus facile que de céder à la tentation de la livraison à domicile. Contre quelques rials en plus, jus de fruits, yaourt et viande hachée sont à votre porte en quelques minutes. Et, ô soulagement, la plupart des restaurants livrent également sur commande. Une envie de sushis, de pizza ou de poulet au curry avant d'aller dormir ? Possible ! Les mordues de l'*American way of life* seront étonnament moins dépaysées à Téhéran qu'à Paris...

Voilà les Téhéranaises, des femmes formidablement accueillantes – et aussi carrément patriotiques – qui, du coup, nous voient comme des sans-cœur, égoïstes et individualistes. Alors, en plus, si vous avez le malheur de leur dire qu'à Paris, vous aviez l'habitude de vivre dans un studio de 20 mètres carrés, elles vont presque sortir les mouchoirs. Dans la capitale iranienne, quel que soit le rang social, les appartements sont généralement spacieux. Et le couvert de l'invité de dernière minute est toujours dressé. Ici, quand y en a pour un, y en a pour dix.

Normal, après tout. Vu la morosité ambiante de l'espace public, les gens se reçoivent beaucoup plus chez eux. Dans les hôtels particuliers du Nord, la maîtresse des lieux dresse un buffet sur la table éclairée par un lustre en cristal et entourée de chaises dorées d'imitation Louis XIV et dégoulinantes de chichis – le kitsch, elles adorent. Plus ça brille, plus c'est clinquant, mieux c'est. Dans les modestes demeures du Sud, on mange humblement autour du *sofreh*, cette nappe qu'on dresse à même le sol, en dessous du portrait géant de l'imam Ali, et face à la télévision (surplombée d'un bouquet de fleurs en plastique) qui passe en boucle de vieilles images commémorant la révolution islamique. Mais où que vous soyez invitée, les mets sont toujours d'un raffinement incroyable.

La table, une fois dressée, offre un choix pantagruélique de plats, tous plus succulents les uns que les autres. Ah, le fameux *ghormé sabzi*, sorte de mouton mariné dans de petites herbes, le *kholeché bodemdjân*, ragoût d'aubergines, le *fessendjân*, poulet mijoté dans une sauce à base de pâte de grenade et de noix pilées. Des plats qui nécessitent une à deux journées de laborieuse préparation. Alors n'allez pas frimer avec votre sacro-sainte haute cuisine et ne leur dites pas, comme certaines dont on taira le nom, qu'il n'y a de gastronomie que française !

Les papilles, elles, sont en alerte rouge ! Bien souvent, à votre grande surprise, on vous offrira, de dessous les fagots, un verre illicite de vin fait maison ou de vodka tord-boyaux iranienne – le fameux *araq sagui*, littéralement l'arak « du chien ».

Vous, toute à cette belle soirée, vous vous dites que vraiment, les médias étrangers ont tendance à exagérer sur la morosité iranienne à l'heure des sanctions et des rumeurs d'attaques américaines – vous savez, à cause du nucléaire. Ce soir, la seule chose mortelle, c'est le nombre de calories que vous vous apprêtez à ingurgiter... Assise sur votre chaise dorée, vous réalisez qu'on est bien loin de cette ambiance de rationnement qu'on aurait pu présager. Inquiètes, bien sûr qu'elles le sont les Téhéranaises. Les voilà qui sont d'ailleurs toujours soucieuses de s'enquérir auprès du visiteur occidental de ce que « les étrangers veulent faire de l'Iran ». Mais en même temps, elles vous répètent fièrement qu'après tout, « ça fait presque trente ans qu'on subit un embargo américain ». Un de plus, un de moins... Oui, oui, elles sont comme ça, les Téhéranaises. Malgré le prix du kilo de tomates qui a triplé en trois mois, celui de la viande qui a doublé, malgré la flambée de l'immobilier, elles continuent à vivre, à cancaner, à sourire, à faire leur marché, à aimer la bonne chère, à mijoter leurs petits plats, à dorloter leurs invités.

Seul inconvénient du dîner iranien, les Téhéranais mangent tard, très tard. Disons entre 23h et minuit, pour vous donner une marge. Alors, le ventre vide, vous grignotez allégrement toutes ces délicieuses confiseries qui ornent la table basse. Et quand vient l'heure du repas, vous êtes, euh, un peu rassasiée. Mais comment résister à l'odeur du riz au safran, du poulet aux épines-vinettes et de l'onctueuse soupe au potiron ? Impossible... Et puis, vu la vitesse à laquelle les invités se ruent vers le buffet, il vaut mieux ne pas tarder à aller se servir. Comme des abeilles, à croire qu'ils ont fait ramadan toute la journée. Un truc fou, jamais vu ailleurs : de tous ces mets succulents, ils se goinfrent en un temps record ! Allez, disons dix minutes, montre en main. Et dans l'assiette, on mélange tout : ragoût, salade, fromage. Si le dessert est déjà posé sur la table, on couronne la montagne de choux à la crème et de gelée à la fraise. Ça aussi, c'est une tradition bien persane, qui restera à jamais un mystère. Alors qu'en France, on passe pour un affreux

L'épicier du coin

Le supermarché, ce n'est pas le dada des Téhéranaises. Le cabas sous le bras, elles préfèrent faire la tournée des épiciers de quartier. On y trouve, empilées jusqu'au plafond, toutes sortes de victuailles : du fromage aux comprimés pour le mal de tête, en passant par les olives fraîches ou le fromage de brebis de Tabriz qu'on achète au poids. Parfois, discrètement camouflés au fond du frigidaire, on peut dénicher un saucisson pur porc ou encore quelques cannettes de bière. Derrière le comptoir, on se voit parfois offrir des chocolats à l'eau-de-vie. Autant de produits illicites que le vendeur ne proposera qu'à ses clientes préférées. Mieux vaut donc montrer patte blanche pour y avoir droit.

goujat si on se sauve après le dessert et qu'on n'a pas refait le monde autour d'un digestif, ici c'est tout le contraire… À peine la dernière bouchée engloutie, les premiers invités commencent les « au revoir ». « *Dasté chomâ dard na koné* », « *Khasté na bachid !* »… Dans la foulée des embrassades, une pluie de remerciements-slogans se déversent sur la maîtresse de maison. Et vous, le cœur serré, vous pensez à votre charmante hôtesse qui a mis tout son amour aux fourneaux deux jours durant.

Les glaces Akbar Machti

Difficile de passer, sans s'arrêter, devant la vitrine de l'une des plus anciennes enseignes de la ville, juste derrière la place Tadjrich, même si, vue de l'extérieur, elle ne paie franchement pas de mine. Akbar Machti, c'est un peu le Berthillon de Téhéran. Chez ce glacier ouvert de 9h30 à minuit, il n'y a que le goût qui compte. Ici, un seul choix : la glace *sonnati* (c'est-à-dire « à l'ancienne »), parfumée au safran et à l'eau de rose. À déguster avec quelques cuillerées de *fâloudeh*, sortes de vermicelles à l'amidon, qu'on arrose de jus de citron. Drôle de mélange, reconnaissons-le. Mais dès la première bouchée, on comprend vite pourquoi les copines téhéranaises en parlent à la manière de Proust et de sa chère madeleine. Essayez, et vous verrez !

Mon beau concombre, roi du potager

Il est toujours là, à vous faire de l'œil, sur la table basse de vos hôtes, que vous leur rendiez visite dans leur bureau ou à la maison. Ce petit concombre iranien – *khyâr* – de la taille d'un pouce, croquant et juteux, on a du mal à y résister (et pour une fois, c'est sans conséquence pour nos fesses). Il se grignote comme ça, saupoudré d'un peu de sel, sans qu'on ait vraiment besoin de l'éplucher. Rien à voir avec les gros concombres qu'on trouve en France. Le *khyâr*, c'est l'aristocratie du cucurbitacé, fin, racé, plein de goût. En salade, les pintades en font leur affaire. Deux recettes à retenir : le *mâst-o khyâr*, yaourt mélangé à du concombre râpé et parfumé à la menthe, et la salade *chirazi*, des petits cubes de concombre, de tomates et d'oignons trempés dans une sauce à l'huile d'olive et au citron. À l'inverse des autres plats iraniens, ça se prépare en un éclair !

La boisson anti-patriotique

C'est l'heure du déjeuner sur Vali Asr, l'heure de s'arrêter pour manger un morceau chez le *tchelow kabâbi* du coin, entre une partie de lèche-vitrine et les courses à ramener pour le dîner. En France, on râle parce que le serveur n'apporte jamais assez vite la carafe d'eau, ici, la première chose que le serveur vient systématiquement poser sur la table, avant l'eau minérale et le menu, n'est autre… qu'une boisson « satanique ». Eh oui, le Coca-Cola, le breuvage étendard des États-Unis, pays le plus détesté par les mollahs au pouvoir, est ici aussi siroté à longueur de journée. D'après certaines estimations, les Iraniens consommeraient plus d'un milliard et demi de litres de boissons sucrées qui se déclinent en une variété infinie de breuvages gazeux : la bière islamique, sorte de jus de pomme mousseux sans alcool, le Zam Zam, une pure imitation du Coca-Cola, qui tire son nom d'une source sacrée de La Mecque, ou encore le *dough*, un lait caillé qui fait des bulles. Mais c'est le Coca-Cola qui reste, de loin, la boisson préférée des pintades et de leur basse-cour. Pour celles qui aiment varier les plaisirs, on trouve également du Pepsi à Téhéran. Mais comme les pâtisseries danoises, la boisson est aujourd'hui rattrapée par la géopolitique. Une campagne télévisée anti-Israël (le deuxième pays ennemi du régime iranien), lancée par les autorités, appelle la population à cesser de boire du Pepsi. Raison invoquée : son nom serait l'acronyme de « *Pay Each Penny to Save Israël* » (littéralement : Payez chaque penny pour sauver Israël).

Chez Chirine

Cette reine de la pâtisserie porte bien son nom. En persan, Chirine signifie « la sucrée ». Après les fameuses pâtisseries danoises, les douceurs de Chirine sont les plus convoitées de la capitale. Sa boutique, perchée au nord, dans le quartier de Ferechteh, propose un vaste éventail de truffes au chocolat, de sablés au gingembre et de petits cakes à la pomme.
Attention les papilles.

Pour en savoir plus sur les secrets culinaires des Iraniennes

Cuisine d'Iran, de Susan Zarrinkelk, Syros Alternatives, 1990.
Un livre illustré de recettes en français et en farsi.

3. Mystiques, superstitieuses et cancanières, où est le mal ?

Potins de mosquées

Ça m'a pris comme ça, un matin d'automne. Depuis que je me suis installée à Téhéran, j'ai assisté à des centaines de processions officielles, écouté des milliers de discours de propagande, suivi des dizaines de manifestations féministes, estudiantines, ouvrières. Mais ce jour-là, je réalise que je n'ai pas encore mis les pieds dans ce qui, pourtant, fait partie des incontournables de l'Iran d'aujourd'hui : la grande prière du vendredi.

Je dois reconnaître que les images télédiffusées de ce rituel hebdomadaire ne sont pas alléchantes. Accroupis sur leurs tapis de prière, des fidèles en rangs serrés se prosternent devant l'imam enturbanné, le leader de la prière, après avoir hurlé les éternels « Mort à l'Amérique ! » et autres « Mort à Israël ! ». Chaque semaine, ce rassemblement est l'occasion de fustiger l'Occident, de dénoncer les « complots » de l'ennemi, de mettre en garde contre l'invasion culturelle venant de l'étranger. Vu depuis la lucarne des télés françaises, un barbu c'est un barbu, mille barbus, ce sont des intégristes. (Pardon, Michel Audiard !)

Pour franchir la porte de l'université de Téhéran, où se tient traditionnellement la prière, il faut revêtir l'uniforme de rigueur : le tchador noir. Ma première mission consiste donc à dénicher, au Grand Bazar, l'étoffe appropriée. Mais une fois en face de l'amoncellement de tissus, je reste complètement perplexe. « Nylon ? Soie ? Coton ? » m'interroge le vendeur. Là, il me pose une colle. Moi qui pensais qu'un tchador était un tchador. Tout noir, textile standard, taille unique. Eh bien non, les nuances se trouvent dans la couleur, mais aussi dans la matière. Et surtout dans le motif : uni, à pois, à fleurs, ou légèrement transparent... Figurez-vous que, depuis peu, un autre modèle de tchador, le tchador *melli* (« national »), inonde le Bazar. Il est censé être plus pratique, car doté de manches – à l'inverse du voile traditionnel qu'on doit, du coup, tenir entre ses mains pour éviter qu'il ne s'envole. Une pure imitation de l'*abbaya*, dit « tchador arabe », en somme. J'opte donc pour la solution de facilité : mon tchador ne sera pas persan. Il sera arabe !

« Pourquoi rigoles-tu ? » L'accueil inquisiteur que me réserve le corbeau noir à l'entrée de la section « Femmes » de l'université est digne d'un agent de la Gestapo. Si cette gardienne entchadorée pensait que j'allais rester muette comme une carpe, en me faisant pincer la poitrine et tripoter les mollets par ses mains gantées – fouille de rigueur ! –, elle se trompe. Je suis chatouilleuse. Elle devrait déjà s'estimer heureuse que mon *mantra* me retienne de lui refaire le portrait. Autour de moi, je suis impressionnée par le stoïcisme de toutes ces Iraniennes qui doivent subir la même torture. À force de recevoir des papouilles, elles sont peut-être immunisées.

La section féminine se trouve à l'opposé de la section des hommes. On ne fait que deviner leur présence, derrière un grand rideau tendu tout le long de cet espace qui ressemble plus à un gymnasium qu'à une mosquée. Nous sommes au cœur du campus universitaire, dans un espace des plus rudimentaires, froid, recouvert de grands tapis. Le côté des femmes est à moitié rempli. Une fois installées, les voilà qui tombent le tchador noir. À ma grande surprise. Mais c'est pour mieux se recouvrir : de leur sac, elles extraient un voile fleuri utilisé – je l'apprendrai plus tard – comme tchador de prière ou d'intérieur. Un parterre de tchadors fleuris, c'est plutôt bucolique. Moi, je n'ai pas le choix : je garde mon *abbaya* noire. « *Felestini ? Felestini ?* » me lance l'une d'entre elles. Parce que je porte un tchador arabe, elle m'a prise pour une Palestinienne. Ne sachant trop que rétorquer, je me contente de répondre par une petite moue, restant évasive sur mes origines. Dans ce genre de situation, le doute est mon meilleur allié. « *Khoch Amadi !* » (« Bienvenue ! ») insiste-t-elle, en me faisant signe de m'asseoir à côté d'elle. Elle s'appelle Zahra. Elle a la voix douce et sent l'eau de rose. Je commence à me réconcilier avec la prière du vendredi.

« *Bismillah al Rahman e Rahim…* » (« Au nom de Dieu le tout-puissant et le miséricordieux ») Le chant du prêcheur, placé du côté des hommes, diffusé à travers un haut-parleur, se met à envahir l'espace féminin. C'est l'heure du recueillement, le moment sacré où les fidèles doivent se prosterner, à l'instar de ces scènes, tellement vues et revues à la télévision que j'ai l'impression de les connaître par cœur. Mais la discipline religieuse n'a pas l'air d'être une affaire de femmes. Au rythme des incantations, mes voisines se mettent… à vider leurs grands cabas remplis de mille et un trésors : thermos de thé, biscuits, petits sucres candi, dattes fondantes. Il y a même le *noun o panir o gerdou*, le fameux « pain, fromage, noix », pour celles qui ont sauté le petit-déjeuner.

Zahra, mon ange protecteur, me tend un morceau de gâteau qu'elle a confectionné elle-même. « *Kheyli, kheyli ghachangé !!* » insiste-t-elle en caressant les broderies noires cousues en bas des manches de mon tchador arabe. « *Kheyli CHIC !* » Je réalise que j'ai pioché, sans le savoir, dans le Versace islamique. Zahra me présente à Fatemeh, sa cousine, Somayeh, sa voisine, et Neda, sa fille. « *Khoch bakhtam !* » (« Enchantée ! ») Puis vient la question piège : « *Muslim ?* » me demande Zahra, apparemment la plus bavarde de toutes. « *Na, na !* » je m'empresse de lui répondre, en faisant un geste de la main. « *Massii ?* » (« Chrétienne ? ») « Euh, non plus. » Silence religieux, c'est le cas de le dire ! « *Yahoud ?* » (« Juive ? ») Non. « *So what ?* » enchaîne Neda, ravie de pratiquer les quelques mots d'anglais qu'elle maîtrise. « *Well, nothing !* » Nouveau silence religieux. « *You have to be something !* » surenchérit Zahra, en fronçant les sourcils. J'aurais mieux fait de me taire, d'utiliser la tactique de la moue, de laisser, une fois de plus, planer le doute. Trop tard. J'ai l'impression de les avoir offensées. En Iran, comme dans beaucoup d'autres pays musulmans, mieux vaut être bouddhiste qu'athée. J'essaie de me rattraper à la branche spirituelle déiste : « *You know, in France, no religious education... But then, later on, we are free to choose !* » Le visage de Zahra retrouve de son éclat. « *Islam, good ! very good !* » baragouine-t-elle, se sentant apparemment remplie d'une nouvelle mission : me convertir !

« *Allah Akbar ! Allah Akbar !* » Le flot d'incantations religieuses qui émane de la section hommes ne suffit pas à interrompre le brouhaha créé par le petit essaim de curieuses qui s'est constitué autour de ma personne. Drôles de bonnes femmes : elles veulent me faire devenir musulmane, mais elles ne sont même pas capables d'être attentives à la prière. Remarquez, si l'islam se résume à cette petite assemblée, alors j'achète tout de suite ! On pourrait prendre

ça pour de l'hypocrisie : faire semblant de venir prier, juste pour plaire au système, pour satisfaire le mari, le grand frère… En même temps, Zahra et ses copines semblent profondément religieuses, mais dans le sens personnel, voire mystique du terme. « *God is in my heart !* » me dit Neda. Ici, en fait, on va à la mosquée, comme on se donnerait rendez-vous au café si on était à Paris. On est loin, finalement, de ces images surmédiatisées de visages rebelles, crispés sous leurs tchadors noirs.

En République islamique, le commérage (le *gheybat*) est un sport national qui se pratique, pour les femmes, à la mosquée. Une fois passés les salamalecs conventionnels, la première tasse de thé, la digestion du gâteau de Zahra, et sa tentative de me convertir, l'heure est au *briefing* hebdomadaire. Qui a vu qui ? Qui a dit quoi ? Qui a oublié d'inviter qui, et qui a vexé qui ? Les informations colportées passent d'oreille en oreille, glissent d'un groupe à l'autre. Elles sont souvent déformées, rallongées et même pimentées de nouvelles anecdotes au gré des humeurs du jour. Somayeh, la voisine de Zahra, a une mauvaise nouvelle à annoncer : sa sœur divorce ! « *Voy ! Voy !* » couine Zahra en levant les mains au ciel. Sacrilège ! « *Bitchâré !* » (« La pauvre ! ») Le mari, murmure Somayeh, était « hum », impuissant… Que vont dire les frères et sœurs ? Et les cousins ? Et le marchand de légumes ? Et le fils du voisin de la sœur du boucher ? « Chut ! Il ne faut surtout rien dire ! » insiste Somayeh. « Pourquoi pas ? » j'ose lancer, en me mêlant à la conversation. « Ah, vous ne connaissez pas bien l'Iran ! Ça ne se dit pas, ces choses-là… Vous savez, les rumeurs, les cancans… » Somayeh a trouvé la solution : « On va juste dire que le mari a dû partir en voyage pour son travail. Voilà ! » Affaire conclue. Motus et bouche cousue. « En Persan, me glisse Zahra, cela s'appelle le mensonge justifié : « *Doulough é Masla'at* » ». Un truc apparemment très irano-musulman, d'après ce qu'elle m'explique. « Le mensonge justifié, dit-elle, vaut mieux qu'une vérité fauteuse de trouble. » En gros, il est permis de mentir et de dissimuler des faits plutôt que créer un scandale familial ou social. Merci pour le tuyau. La prochaine fois, je pourrai donc dire que je suis palestinienne. Et musulmane. Mensonge justifié !

Pleureuses professionnelles

C'est le énième rassemblement de soutien à la cause du Hezbollah. Nous sommes le 31 juillet 2006, en pleine crise libanaise. Il fait chaud sur la place Palestine, dans le sud de Téhéran, et ça gratte sérieusement sous le foulard. Dans la foule, hommes à barbe et femmes voilées de la tête aux pieds brandissent des portraits de Hassan Nasrallah, le chef de la milice chiite libanaise. Face aux accusations américaines, l'Iran dément lui fournir de l'aide. Chaque semaine, pourtant, tel un rituel bien calibré, tout le gratin de la République islamique se réunit ici, banderoles à bout de bras, pour crier « Mort à Israël ». Il y a même le fameux Ministre des slogans – surnom donné à cet immortel « chauffeur » des foules, qu'on retrouve à tous les grands rassemblements, un peu comme sur un plateau de télé avant une émission de la Star Ac'. Par dizaines, par centaines, des bus viennent déverser des foules d'enfants et de femmes, réquisitionnés dans leurs écoles et leurs bureaux pour remplir les premiers rangs.

Le temps de reprendre mon souffle, je m'assieds au bord de la statue de l'Intifada, tout en bronze, juste à côté d'une Iranienne entchadorée. Elle mange des chips et boit un soda orange, en papotant avec sa voisine. À peine ai-je sorti mon micro que je vois son visage se pincer, ses traits se tirer, et de grosses larmes jaillir de ses yeux, comme une fontaine automatique. « Ah, tous ces enfants libanais ! Ah, ces pauvres enfants morts, tous innocents ! Je souffre, je pleure ! Ces enfants sont comme mes enfants ! » sanglote-t-elle, en m'arrachant le micro pour le coller à ses lèvres. Quelque peu ébouriffée par sa spontanéité, j'enchaîne :

– Vous en connaissiez ?

– Non.

– Vous êtes déjà allée au Liban ?

– Non.

– Vous êtes pour que la République islamique soutienne le Hezbollah ?

– Je sais pas.

– Et Israël, faut-il le « rayer de la carte », comme le disent les autorités iraniennes ?

– Non, je suis pour la paix.

– Vous êtes venue spontanément ?

– Non, en bus étatique…

Ses réponses me laissent bouche bée. Pourquoi pleurer pour une cause à laquelle elle n'adhère pas ? Entre-temps, elle s'est remise à manger des chips. Mais à la vue d'une caméra, la voilà qui recommence à gémir. « Ah, tous ces enfants libanais ! Ah, ces pauvres enfants morts, tous innocents ! » Mise en scène ou tristesse refoulée ? Je suis confuse. Par politesse, je lui tends un mouchoir en papier. « Vous savez, me dit-elle, en attrapant le bout de mon manteau, j'ai perdu un fils pendant la guerre Iran-Irak, et ça, c'est suffisant pour souffrir à vie de toute la tristesse du monde… Ces enfants sont comme mes enfants ! » Ces larmes ne sont donc pas des larmes de propagande. C'est le cri sincère d'une mère blessée par un deuil, deuil solitaire devenu universel à la vue d'autres événements. En somme, le besoin, difficile à comprendre pour une Française, de partager sa peine, d'en déverser le poids sur les épaules de l'autre, simple passant ou journaliste curieux. Besoin de vider son sac, de se lamenter ensemble. Entre défouloir et thérapie de groupe. L'opposé de notre pudeur bien occidentale, où l'on se cache dans les toilettes pour pleurer un bon coup, où l'on préfère le divan d'un psychanalyste pour confier ses peines.

S'il existait un concours international de larmes, les Iraniennes décrocheraient la palme d'or. Elles sont capables de pleurer sur commande, à toute heure de la journée. Avant d'être pro-Hezbollah, avant d'être une mère de martyr, cette femme en tchador, croisée place Palestine, est une vraie Iranienne. Ici, on pleure à toutes les occasions : en enterrant son fils, en envoyant sa fille étudier en province, en déposant un cousin à l'aéroport. On pleure l'absence, on pleure l'éloignement, on pleure la souffrance. On pleure pour une amie qui se casse le pied – « Mon Dieu, quelle catastrophe ! Va-t-elle survivre ? » On pleure parce que l'équipe nationale de football a perdu – « Quel échec ! »… On pleure aussi, et avant tout, pour commémorer le deuil de l'imam Hossein, mort… il y a plus de 1 400 ans !

« C'est plus fort que nous, nous sommes *mord parast*, me confie une amie. C'est-à-dire qu'on vénère les morts… » Il y a quelque chose de très chiite, finalement, dans cette façon bien iranienne de verser des torrents de larmes en mémoire de celui, ou de celle, qui échoue dans une bataille, ou qui disparaît. Pas de tristesse contenue, il faut tout lâcher. On pleure pour ses proches, mais aussi pour celui qu'on ne connaît pas. Une sorte d'habitude, devenue tradition. Qu'il soit mort hier ou qu'il ait disparu dans la nuit des temps, on pleure en mémoire du *chahid*, le « martyr ». Depuis la révolution de 1979, les autorités religieuses en ont fait leur affaire, récupérant à outrance cette martyrologie, pour envoyer au casse-pipe des milliers de jeunes « volontaires », prêts à mourir sur le front de la guerre Iran-Irak, tel Hossein pendant la bataille de Kerbala. Leurs portraits géants, accompagnés de tulipes rouges et de versets coraniques, ornent encore aujourd'hui les murs de Téhéran.

Mais au-delà de toute forme de récupération politique, les Iraniennes – et les Iraniens – y sont incroyablement liés, à cette mort. Quand vient le mois de Moharram, qui commémore, trente jours durant, la mort de Hossein, de petits drapeaux noirs se dressent devant les portes, et des lumières colorées s'allument à la nuit tombée. Chaque soir, différents quartiers organisent des processions, où des hommes vêtus de noir se flagellent la poitrine avec des chaînes, tradition totalement masochiste. Cela s'appelle le *Siné Zani*. En mémoire de cet imam vénéré comme un saint, les grandes familles sacrifient des moutons, et les voisins s'offrent respectivement le *nazri* (offrandes sous forme de mets bien mijotés). Sous les *tekieh*, sorte de tentes traditionnelles, des pièces de théâtre religieux, appelé *ta'zieh*, se produisent çà et là. Elles mettent en scène la vie, les souffrances et la mort du grand imam chiite. La foule de spectateurs entoure la scène ronde. Quand arrive le moment ultime, la mort du bel imam, des gémissements surgissent du public. « Ne meurs pas, Hossein !! » hurle la foule à gorge déployée. Parfois, quand on voit un tchador tomber, on comprend qu'une spectatrice émotive a perdu connaissance. Phénomène étrange de catharsis. Pleurer Hossein, c'est revivre ses propres souffrances, c'est chasser le mal contre le bien, c'est faire le vide autour de soi.

La mort elle-même est digne de somptueuses réceptions qu'on aurait du mal à imaginer en France. Il y a quelques jours, je reçois un carton d'invitation, en lettres grises sur fond noir, dans ma boîte-aux-lettres. C'est une lointaine connaissance qui m'invite à un dîner buffet. Thème de cette soirée guindée, organisée dans l'une des salles les plus coûteuses de Téhéran : célébrer la mémoire de son défunt de mari,

Ce cher imam Hossein

C'est donc lui, ce beau brun, yeux persans et barbe bien taillée, qui fait tant vibrer le cœur de nos pintades. Elles ne l'ont jamais croisé – il est mort en 680 à Kerbala ! Elles connaissent sommairement son histoire – il est le petit-fils du prophète Mahomet et fut tué par l'armée des Omeyyades. Mais le souvenir de cet imam chéri accompagne étrangement chaque étape de leur vie. Impossible de faire sans. Toujours représenté avec un turban vert et une cotte de mailles sur la tête, le sourcil circonflexe et le regard à faire défaillir la plus stoïque d'entre nous, son portrait se décline partout sous forme de pin's, de porte-clefs, d'horloges, d'assiettes décoratives. Il est l'incarnation du héros romantique, bon, pur, généreux et mort trop tôt, un peu le Che Guevara persan si vous voulez. Chaque année, pendant quarante jours, durant le fameux mois de Moharram, les musulmans commémorent la Passion de Hossein. Place aux processions, aux larmes, aux flagellations, aux offrandes qu'on distribue en sa mémoire…
Ah, qu'est-ce qu'elles ne feraient pas pour leur imam ?

décédé il y a deux ans. Dans le hall d'entrée en marbre, un jeune portier en nœud papillon me fait signe d'emprunter l'ascenseur du fond. C'est l'accès direct à la salle des femmes. Devant la porte, la veuve, toute en noir, accueille ses invitées. « *Salam*, euh, toutes mes condoléances… » Que dire, en effet, dans ce genre de circonstance ? Elle sourit, en me souhaitant une belle soirée et en m'invitant à rejoindre une des tables rondes disposées à travers la grande pièce décorée de lustres dorés.

Des hôtesses en vestes bleu nuit font la distribution de dattes fourrées aux noix, de tartelettes aux fruits rouges et de thé chaud. À part les robes noires des invitées – d'ailleurs toutes plus élégantes les unes que les autres, avec leurs parures d'or et de diamants sorties pour l'occasion –, on se croirait presque à un mariage. Dans les allées, des gamines jouent à la poupée. Ici et là, on s'embrasse, on se complimente, on colporte, comme à l'habitude, les dernières rumeurs familiales. J'attrape le menu, placé devant mon assiette. Il doit être sacrément élaboré, car je n'arrive pas à déchiffrer un seul des mots décrivant les mets de la soirée. « C'est le Coran ! » me glisse poliment une de mes voisines. « C'est écrit en arabe… » Oups, une gaffe de plus. En tout cas, ça fait bien rire mes compagnes de table, qui se mettent à glousser bruyamment.

Un crépitement sourd, qui s'échappe de grands hauts-parleurs, vient soudain couvrir les conversations. C'est le *rowzé*, la psalmodie religieuse du mollah invisible. Normal, il est du côté des hommes, et les femmes n'ont donc droit qu'aux échos de sa voix cassée, diffusée à travers un ampli. Vive la technique ! Tout d'un coup, les visages se figent, les paumes des mains se plient sur les cœurs. Et le robinet des larmes automatiques se met à couler. Par pudeur, je baisse la tête. J'ai beau essayer de me concentrer, je n'arrive pas à pleurer. Les Iraniennes ont vraiment ça dans la peau ! Après un déferlement de prières, le mollah finit par conclure son *rowzé* en invitant les convives à aller se servir au buffet. Comme si de rien n'était, les cancans de mes voisines reprennent de plus belle. Le temps de sécher leurs visages, et de se repoudrer le bout du nez, elles se ruent vers les tables garnies de poulet grillé, de poisson aux herbes et de riz au safran. Perchées sur leurs talons aiguilles, elles glissent délicatement entre les chaises, comme allégées par tous ces sanglots qu'elles viennent de déverser. Vidées de leurs soucis, débarrassées de leurs peines. Jusqu'à la prochaine fête, jusqu'à la prochaine manifestation.

J'ai arrêté d'être superstitieuse, il paraît que ça porte malheur

L'Iran est le pays de tous les possibles. Si, si, c'est ce que m'affirme Chabnam, une de mes amies. Tu cherches un mari ? Tu veux tomber enceinte ? Tu rêves de décrocher ton doctorat ? À seulement une centaine de kilomètres d'ici, l'imam Mahdi, dit-elle, peut t'aider à réaliser tous tes vœux. L'imam Mahdi – encore un ! – ça vous dit quelque chose ? « Un type génial, mort il y a onze cents ans ! » insiste Chabnam. Ah, oui, le fameux « imam caché », douzième de l'islam chiite, descendant du prophète Mohammad, disparu en l'an 941 de l'ère chrétienne, et censé réapparaître à la fin des temps, selon la légende, pour répandre la justice sur terre.

Bon, je savais que certains Iraniens l'attendaient de pied ferme – et en haut de la liste, le Président Ahmadinejad, trop content de pouvoir évoquer son retour dans ses discours pour justifier tous les malheurs de la planète et manipuler, à sa façon, les foules. Mais j'étais loin d'imaginer un tel engouement pour cet illustre imam de tous les temps, également surnommé « maître du temps », avant d'emprunter, un mardi soir, l'autoroute de Qom, et d'y constater d'inhabituels bouchons pour un milieu de semaine. En voiture, en bus, ou simplement entassés à l'arrière d'un pick-up, des milliers de Téhéranais et de Téhéranaises se ruent hebdomadairement vers la mosquée de Jamkaran, juste à l'orée du désert, à 7 kilomètres de la cité chiite. C'est là, au milieu de ce terrain vague éclairé par des néons verdâtres, que notre héros devrait pointer le bout de son nez, au dire des croyants, lorsque le monde sera au bord du chaos.

Jamkaran, c'est la version *drive-in*, ou ciné en plein air, de l'Iran. À la mode musulmane, entendons-nous. Avec des groupies en tchador orné. On s'y presse entre copines, en famille, en grappes de pèlerins. De Téhéran, mais aussi de Chiraz, Tabriz, Machhad. Hommes, femmes, enfants, drapés dans leurs couvertures, le thermos rempli de thé, les

Se rendre à Jamkaran

Rien de plus simple pour aller attendre le retour de l'imam Mahdi, le mardi soir, à la mosquée de Jamkaran, près de la ville sainte de Qom. À Téhéran, les mosquées de quartier offrent le forfait « trois en un » : trajet en bus, dîner et visite de Jamkaran, le tout pour l'équivalent de 3 euros.

sachets en plastique débordant de chips et les duvets dressés au sol pour dormir à la belle étoile. Après avoir délimité son enclos sur ce vaste carré en terre battue à ciel ouvert, posé ses marmites pour le dîner tardif, et allumé quelques bougies, on se glisse dans la modeste mosquée construite en son honneur, au rythme des chants religieux qui crachouillent à travers les hauts-parleurs. Ah, l'imam Mahdi, il a beau avoir disparu il y a bien longtemps, son fan-club ne cesse de s'agrandir.

À l'entrée de la salle des femmes, je suis priée d'éteindre mon téléphone portable. « Ça pourrait déranger l'imam ! » me glisse une voix sortie d'un voile noir ne laissant transparaître qu'une paire d'yeux cernés de lunettes en fer. Pas très seyant, mais au moins son tchador ne tombe pas toutes les cinq minutes comme le mien. Et là, un plumeau multicolore à la main – plus balai de chiottes que plumeau d'ailleurs ! –, elle se met à taper au hasard sur les têtes qui dépassent de ce flot incessant formé par le va-et-vient des fidèles. Ses gesticulations partent d'une bonne intention : m'aider à me frayer un chemin. Moi, j'ai littéralement l'impression de nager dans une piscine de vagues voilées. Une fois passée la barrière des odeurs de pied, des jets d'eau de rose, et des coups de plumeaux sur la tête, je commence à réaliser qu'il fait sacrément humide dans cet espace complètement saturé. La moitié des femmes qui m'entourent est en train de pleurer !

« Reviens Mahdi, je t'en supplie ! » Le visage rouge à force d'avoir trop hurlé, une grand-mère drapée de noir implore l'imam caché en se frappant la poitrine. J'en ai les tympans bouchés. En fait, j'ai juste le temps de me retourner pour la voir s'écraser au sol. Avant de s'évanouir, elle n'a même pas pu faire son vœu. Sacré imam Mahdi, il en fait des ravages. La femme au plumeau et aux lunettes en fer, que je pensais avoir semée, se rappelle à mon bon souvenir.

« C'est ici (me dit-elle, sur un ton presque amoureux, comme une femme parlant de son tendre amant) que Mahdi serait brièvement apparu une belle nuit étoilée, ordonnant au propriétaire de cette terre d'y construire une mosquée… » Mahdi, m'explique-t-elle, est le douzième d'une lignée d'imams chiites, tous vénérés comme des saints. À Machhad, par exemple, non loin de la frontière afghane, c'est l'imam Reza que les Iraniens vont prier. Et puis, au sommet de la pyramide, il y a l'imam Ali et l'imam Hossein, respectivement enterrés à Nadjaf et à Kerbala, chez les voisins irakiens. Tout bon chiite se doit de leur rendre visite et, encore aujourd'hui, des milliers de pèlerins continuent de braver les obstacles de la guerre civile irakienne pour aller se recueillir sur leurs tombeaux. Un amour incroyable, qui dépasse toute forme d'entendement, et qui est franchement difficile à saisir pour l'Occidentale en villégiature en Iran. Un amour ancestral qui n'a d'ailleurs rien à voir avec l'islam imposé par en haut depuis presque 30 ans.

L'Iran, ce n'est décidément pas ce qu'on croit. Loin des diktats politiques, les gens entretiennent leurs propres croyances. Chacun, à sa façon, a rendez-vous avec son Dieu et ses saints. En témoigne cette passion pour l'imam Mahdi, incarnation du surhomme, que les belles de la capitale sont nombreuses à implorer pour un oui ou pour un non. Comme s'il détenait la clef qui allait régler tous leurs problèmes. Selon des statistiques officielles – invérifiables bien sûr –, 15 millions de visiteurs se pressent, chaque année, aux portes de la mosquée Jamkaran.

Dans cette foule de femmes voilées, le tout-Téhéran s'est donné rendez-vous, sans distinction de classe ou de milieu social. Un jour agent matrimonial, un jour garagiste, un jour médecin, Mahdi, c'est un peu l'imam multifonctions. « Je suis venue prier pour qu'on me présente un bon fiancé ! » me glisse Niloufar, une midinette du nord de la capitale, en mâchant discrètement un chewing-gum à la fraise. « Moi, j'ai eu un accident de voiture, et je n'ai pas les moyens de remplacer mon véhicule. Peut-être que l'imam Mahdi a une solution… » confie Mandana, une mère de famille de la banlieue téhéranaise, tout en égrenant son chapelet. Les formes généreuses enveloppées dans son voile à pois bleus, Somayeh a, elle, un souhait bien particulier : « Je voudrais perdre 10 kilos », dit-elle. Selon la tradition, elles ont toutes rédigé leurs vœux sur un petit bout de papier qu'elles ont « posté » pour Mahdi dans le puits qui se trouve juste derrière la mosquée. Elles doivent également penser au *nazr*, c'est-à-dire l'offrande qu'elles devront faire si leur imam préféré répond à leurs attentes : sacrifier un mouton, distribuer des friandises à tout le quartier, préparer un ragoût...

Fanatiques les Téhéranaises ? Superstitieuses avant tout. Impossible, en effet, de réduire la République islamique à une bande de barbus extrémistes. Il y a, sous les voiles, des femmes qui croient en leurs imams, qui prient, et qui rêvent, non pas de bombe atomique, mais tout simplement de réussite dans leurs études, d'amour, de prospérité et de chasse aux kilos superflus.

Il faudrait un miracle

Pendant des mois, il s'est retrouvé au centre des conversations téhéranaises. Une sorte de héros qu'on admire, le résultat d'un phénomène surnaturel, un don du Ciel. Quoi, vous n'avez pas vu le DVD du chien de Machhad ? Allez vite l'acheter, c'est in-croy-able... Pour le trouver, rien de plus simple. En vente à la criée à la sortie de la prière du vendredi, ou coincé entre deux cassettes de pop iranienne chez un disquaire du Bazar de Tadjrich, on pouvait même se le procurer à moins de 1 000 tomans, en marchandant un peu. Tout ça pour voir, accrochez-vous, la vidéo d'un chien qui pleure – si, si – près du mausolée de l'imam Reza. Un miracle, on vous disait. Et moi qui croyais que les chiens étaient *nadjess* (« impurs ») selon l'islam... Allez comprendre. L'affaire dura des semaines, des mois. Jusqu'au jour où, scandale – et déception profonde –, la presse locale se pencha sur le fond de l'histoire et dénicha un « complot » ! Pour se faire un peu d'argent facile, deux jeunes voyous avaient entraîné le toutou poilu à pleurer... Flop total ! Aussi vite qu'il était arrivé, Médor a ravalé ses larmes de crocodile et le miracle s'est évaporé dans la nature. Des légendes comme celle-ci, il en court les rues à Téhéran. Et bien souvent, un miracle vient en chasser un autre. Tiens, saviez-vous qu'au cimetière de Behecht-é-Zahra, le plus grand cimetière d'Iran où sont enterrés des milliers de martyrs de la guerre Iran-Irak, le tombeau de l'un d'entre eux sent… l'eau de rose. À tel point que les badauds qui s'y pressent quotidiennement, et par dizaines, ont fini par le surnommer le *chahid Atri* – le martyr parfumé. Qu'on s'y penche au petit matin ou à la nuit tombée, sa pierre tombale est toujours humide. Quand on y colle la paume de sa main, une odeur d'eau de rose s'y accroche… Sous leurs tchadors noirs, les mères des autres martyrs en déversent toutes les larmes de leur corps en se frappant la poitrine. Certaines se lancent dans un déluge de prières pour que le tombeau de leur fils reçoive, lui aussi, le même don du Ciel. Un signe de pureté, disent-elles. Mystère surnaturel ou légende fabriquée de toutes pièces, elles sont nombreuses à y croire dur comme fer.

Le miracle est, avec les pistaches, l'une des principales cultures de l'Iran.

Le mausolée de l'imam Khomeini

Vous ne pouvez pas le rater quand vous prenez la route de Qom, à la sortie de Téhéran. Depuis le décès, en 1989, du père de la révolution islamique, ce gigantesque mausolée au dôme doré est devenu un lieu de pèlerinage mais également une escale idéale pour pique-niquer en famille. Dans ce Disney Land islamique, entouré de superettes vendant sandwichs et pin's à l'effigie de l'imam Khomeini, les fidèles se prosternent au rythme du piaillement des enfants qui s'amusent à glisser sur les dalles marbrées. Si vous êtes agoraphobe, mieux vaut éviter d'y aller un 4 juin. Chaque année, à l'occasion de l'anniversaire de la mort de l'imam, le mausolée croule sous le poids de centaines de milliers de pèlerins qui débarquent des quatre coins du pays…

La *dot Qom* mania

Vous voulez vous faire gonfler la poitrine, mais vous n'êtes pas sûre que ce soit approuvé par la religion ? Vous songez à adopter un enfant, mais doit-il à tout prix être musulman de naissance ? Rien de plus simple si vous êtes téhéranaise, et que vous n'avez pas le temps de vous déplacer jusqu'à Qom, le Vatican du chiisme, à trois heures en voiture de la capitale. Tout grand ayatollah qui se respecte se fera un plaisir de vous conseiller par Internet. Un email envoyé sur son site Web, et au bout de quelques jours, la réponse vous est retournée en quelques lignes, avec conseils à l'appui. Imaginez une sorte de super curé de l'islam vous aidant à prendre des décisions et à traverser sans encombre les différentes étapes de la vie. C'est un peu le rôle que jouent les grands ayatollahs (le rang le plus élevé dans la hiérarchie des mollahs, les clercs de l'islam). Selon la religion chiite, une des deux principales branches de l'islam, chaque Iranien est en mesure de choisir, parmi l'un de ces grands clercs, son *marjaa* (c'est-à-dire sa « source d'inspiration »), un guide spirituel si vous préférez. Son niveau de savoir et de recherche en matière d'islam lui permet d'interpréter les textes religieux et donc de juger ce qui est autorisable ou non : en matière sociale, culturelle, économique, et même sexuelle.

Et tout comme en France, on vote Bayrou, Ségolène ou Sarkozy, ici on sélectionne l'e-ayatollah qui se rapproche le plus de ses idées. Les gardiens de l'islam sont, en effet, de vrais adeptes de l'Internet, à partir du moment où il peut aider leurs valeurs religieuses à se propager… Pour faciliter la tâche des fidèles, dispersés sur la planète, chaque site Internet se consulte au moins en trois langues, le farsi, l'arabe et l'anglais. Certains ont même opté pour l'option française et espagnole. Il existe, bien entendu, des *marjaa* plus ou moins éclairés, plus ou moins conservateurs, plus ou moins réformateurs. Inutile de préciser que de nombreuses Téhéranaises, accrochées à la sacro-sainte défense de leurs droits, ont élu un clerc libéral comme « source d'inspiration ». Turban blanc, robe brune et quelques poils au menton, leur favori s'appelle l'ayatollah Saanei et habite au cœur de la ville sainte de Qom. Avec son sourire charmeur et ses airs de Genghis Khan, il a beaucoup fait parler de lui pour avoir défendu l'idée qu'une femme peut être candidate au poste de guide suprême (actuellement occupé par l'ayatollah Ali Khamenei), la clef de voûte de la République islamique. De quoi faire hérisser les poils de barbe de la plupart des clercs du pays. Rançon du succès, son site est consulté mensuellement par des milliers de visiteurs. Mais la vague Saanei semble être remontée aux oreilles de la branche plus radicale du *Howzeh* (le grand séminaire de Qom) qui lui aurait gentiment conseillé de faire moins de bruit. Autocensure forcée, ou filtrage imposé par les policiers du Web, la page de son site réservée aux décrets islamiques portant sur les femmes est désormais… aussi blanche que son turban.

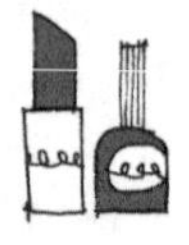

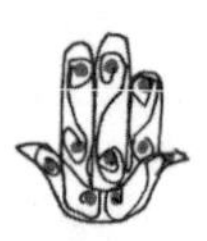

Café, mon beau café, dis-moi…

Elle débarque avec une heure de retard, dégage une forte odeur de cigarette mêlée à un parfum poivré, embrasse son petit chien sur le museau, éclate de rire, hurle sur une de ses trois filles qui traîne en pyjama, et s'éclipse dans la cuisine. Ce n'est qu'au bout de vingt minutes qu'elle se rappelle à votre bon souvenir, une tasse de café turc à la main, et qu'elle pense, enfin, à s'excuser. « Désolée *azizam* – ma chérie – les embouteillages, tu sais ! » me lance-t-elle, d'une voix cassée.

Le petit monde de Maryam, 45 ans, diseuse de bonne aventure, n'a ni temps ni espace. Elle est comme elle est, avec son teint hâlé, ses cheveux colorés au henné et ses sourcils renforcés par un trait acajou, à toute heure de la journée et de la nuit. Un coup de fil sur son téléphone portable, et elle vous fixe un rendez-vous quand ça la démange. Si vous réunissez suffisamment de copines, elle se déplace chez vous, pour vous tirer les cartes ou dessiner les lignes de votre avenir dans le marc de café. On peut aussi la retrouver au salon de beauté, un masque relaxant collé sur le visage, où elle fait la tournée de ses clientes les plus fidèles. Si vous êtes seule, elle vous convie dans son appartement miniature, en sandwich entre deux courses.

C'est dans la chambre à tout faire de son modeste deux-pièces qu'elle me reçoit, après avoir viré, dans le salon voisin, mari pantouflard, filles et toutou – qui revient aussitôt au galop. « Catherine, sois gentille, laisse maman tranquille ! » murmure-t-elle, en s'adressant à la petite boule de poils. Mais la princesse à quatre pattes aux crocs bien aiguisés, dont la photo orne l'écran du portable de Maryam, n'a franchement pas l'air ravi de voir une inconnue prendre sa place sur le petit tapis persan, entre l'ordinateur, le frigidaire, et les coussins disposés en vrac. J'ingurgite mon café, en évitant de me laisser impressionner, et en prenant soin de ne pas avaler le fond épais qui servira à tracer ma destinée.

« La tasse dans la main gauche, côté cœur ! À retourner sur la coupe ! » ordonne Maryam, en redressant le décolleté de sa chemise rose pompon.

La magie des pierres précieuses

La Téhéranaise n'est pas austère. C'est là son moindre défaut. Elle adore se parer de bling-bling et de bijoux. Que faisait-elle aux temps chauds ? Elle chantait en cachette des mollahs, dansait comme une folle le *Baba Karam* dans des villas immenses en buvant de la vodka et du Zam Zam. Mais quand ses pieds commencèrent à la faire souffrir d'avoir trop dansé et que les ragots se répandirent sur elle, elle alla crier désespoir chez son ami le derviche Abdullah Hakâk.
Vous dansiez, j'en suis fort aise, dit-il à cette canaille. Et pour lui garantir le respect des autres, il lui donna une topaze, contre le mauvais œil une émeraude et une agate pour protéger de la soif dans le désert. Du coup, munie de ses pierres aux pouvoirs magiques, elle décida d'aller à Dubaï pour guincher davantage.

Les courses du *Nowrouz*

S'il est une date sacrée pour les Téhéranaises, c'est bien le *Nowrouz*, le nouvel an persan, qui coïncide avec le 21 mars, jour du printemps du calendrier grégorien. Une tradition préislamique qui perdure depuis des siècles. À l'approche de ce jour fatidique, c'est le grand nettoyage dans les chaumières. Des rideaux aux tapis, tout doit être propre pour la fête. En persan, on appelle ça le *Khâné Takouni*. Les enfants ont également droit à de nouveaux vêtements. Selon la coutume, il faut ensuite dresser la table des *hafte sine*, c'est-à-dire des sept choses commençant par la lettre « S » : *sepand* (graines issues d'une plante sauvage), *sabzi* (petites herbes germant à partir de graines de lentilles disposées dans une assiette), *samanou* (crème brune à base de germe de blé), *sendjed* (sorte d'olive orange), *sib* (une pomme), *sir* (de l'ail), et *serkeh* (du vinaigre).

(...)

En moins de deux, elle saisit alors la coupe, pour en faire couler le marc sur le plateau. Une petite ligne brune serpentine s'y forme. Mon hôtesse allume sa énième cigarette, prend une grande inspiration, me dévisage du regard, avant de se lancer dans le roman de la vie qui m'attend. « *Azizam*, je vois du bonheur, beaucoup de bonheur ! » s'enthousiasme-t-elle en me collant un gros bisou sur la joue droite, et en m'annonçant les réjouissances à venir : « Une grande fête, des amis qui te soutiennent dans les épreuves de la vie, des contrats en perspective, peut-être un déménagement… Dans l'ensemble, tout va bien ! Une étoile te protège, ma fille ! »

C'est drôle, on a beau se dire qu'on ne croit pas à tout ce tralala de voyance, qu'on est juste venue par curiosité – en se convainquant que ça fait partie de l'expérience orientale à ne pas rater – on se surprend à sourire paisiblement. Après tout, un peu de douceur et d'optimisme dans la folie de Téhéran, ça fait chaud au cœur. « Brrrrr ! » Le portable de Maryam, accroché à un porte-clefs en forme de coeur – rose, lui aussi –, se met à clignoter en vrombissant. Au bout du fil, c'est Mahesta, une musicienne et fidèle cliente qui l'appelle de Dubaï pour s'enquérir des développements possibles de ses projets de concert. Maryam me fait signe d'attendre, avale une tasse à la santé de Mahesta, puis lui murmure, dans le combiné, quelques formules magiques. Les bons comptes faisant les bonnes amies, Mahesta la réglera la prochaine fois qu'elle fera le détour par Téhéran.

Les consultations à distance, c'est un des fonds de commerce de Maryam. « On m'appelle d'Allemagne, de Los Angeles, et même du Koweït ! » Là-bas, dit-elle, elle est devenue la « voyante téléphonique » de la femme d'un richissime cheikh. C'est lors d'un séjour dans la capitale iranienne que cette dernière a pris goût au marc de café. Depuis, elle appelle Maryam une fois par mois pour qu'elle l'aide à trouver la réponse à ses problèmes. Pas besoin d'envoyer une facture. En un tour de passe-passe moyen-oriental, l'argent est transféré dans un *sarâfi* – un de ces nombreux bureaux de change de Téhéran – et

Maryam peut aussitôt aller le récupérer. En général, notre diseuse de bonne aventure préfère s'entourer d'une clientèle féminine. À quelques exceptions près : deux hommes iraniens, l'un en Suède et l'autre en Angleterre. Et plus récemment, le mari d'une de ses clientes. « Il avait besoin d'un conseil sur une affaire compliquée. J'ai vu plein de choses dans son café. Et ça l'a aidé à se sortir d'un gros sac de nœuds », se souvient-elle. Ravi, l'homme d'affaires lui fit parvenir des *chirini* – sucreries, en persan : terme utilisé pour évoquer une enveloppe bien garnie qu'on glisse sous la table. Pour Maryam, qui n'avait pas pu payer le loyer familial depuis plusieurs mois, ça tombait à pic. « La bonne étoile... », souffle-t-elle.

Les voisins de l'immeuble, eux, surveillent le grain avec des grincements de dents. Le métier de Maryam relève, pour les plus puritains, de l'hérésie. Il y voient une forme de sorcellerie, de magie noire, d'insulte au Prophète. Sur sa carte de visite, elle s'est donc contentée d'indiquer son numéro de portable. En omettant sciemment son nom et son adresse. « Je ne fais pourtant rien de mal, dit-elle. J'apporte du bonheur, que du bonheur ! » roucoule-t-elle en riant aux éclats.

À la fois voyante, psychologue, et confidente, Maryam s'adapte à merveille à ses interlocutrices. Vous débarquez chez elle, les épaules chargées de soucis, et elle a le don de vous remonter le moral. Vous avez l'air fatigué, et elle vous prédit un grand voyage au soleil. Vous êtes une jeune mariée, comme moi, et elle distingue, en fin de séance, « un joli poussin », juste au niveau de la petite trace laissée par l'index qu'elle vous fait enfoncer, tout au fond de la tasse. « Il crie si fort, dit-elle, que j'entends son chant résonner dans toute la pièce ! » En fonction de votre humeur, elle vous fait sourire, rire, parfois même pleurer. « Les larmes sont libératrices », dit-elle, en grande philosophe de la vie. Vous êtes croyante ? C'est un proverbe musulman qui vient clore la séance. Vous êtes plutôt du genre athée ? Elle finira par un vieux poème persan, pioché dans le registre inépuisable du grand Hâfez de Chiraz.

(...)

Ce n'est pas fini. À cette galerie de « S », s'ajoutent des œufs peints, un miroir, un Coran, un livre de poèmes de Hâfez, et un petit poisson rouge dans son bocal. La soupe, le poisson grillé et le riz aux herbes, qui sont servis au repas, sont censés être un gage de bonheur. Pour le *sizdeh bédar*, treizième jour qui suit le *Nowrouz*, tous à la campagne ! La coutume veut que toute la famille sorte de la maison et jette le *sabzi* dans une rivière ou un ruisseau pour chasser le mauvais sort Les parcs, ce jour-là, sont pleins à craquer.

Aide-toi...

Dans cet amphithéâtre plein à craquer, on comprend vite qu'au pays de la morale islamique, ce n'est pas Dieu qui a le dernier mot. « *Hâletoun tchetore ?* » (« Comment allez-vous ? »), hurle un beau brun à la belle gueule, qui vient de faire son entrée en scène sur un tapis de fumigène et de jets de lumières aux couleurs de l'arc-en-ciel. « *Âlliiiiiii !* » (« Formidable ! ») répliquent, en chœur, les quelque 3 000 spectateurs, dont trois quarts de femmes, en frappant dans leurs mains. En ce vendredi après-midi, jour chômé en Iran, l'enthousiasme est largement plus spectaculaire qu'à la grande prière hebdomadaire qui s'est tenue, le matin même, à l'université de Téhéran, et où les fidèles ont scandé le traditionnel « Mort à l'Amérique ! ».

On aurait pu tout imaginer : un concert de rock clandestin, un meeting d'opposants politiques, ou un de ces nombreux cours privés où l'on enseigne discrètement l'art post-moderne pour défier l'imposition d'une culture de propagande idéologique. Mais au cœur de l'axe du mal, dans cette capitale iranienne qui fustige quotidiennement le Grand Satan américain, ce que propose Ahmad Hellat dépasse toutes les attentes : des séminaires de la « réussite », imitation pure et dure des cours de *Self help* à l'Américaine !

Costume noir et sourire dentifrice, la quarantaine, le nouveau « gourou » des Iraniennes dispose de trois heures top chrono pour délivrer ses recettes miracles : « Apprenez à vous aimer ! » « Regardez-vous dans la glace le matin et embrassez-vous ! » « Faites une liste de vos nouvelles priorités ! » « Fixez-vous des objectifs que vous vous promettrez de tenir ! » On est loin des sermons religieux et des leçons de morale, dispensés dans les mosquées et sur la télévision d'État... Ahmad Hellat va même jusqu'à puiser parmi les références « sataniques » pour convaincre son audience qu'elle peut décrocher la clef du bonheur. Et quelles références !

« Prenez exemple sur Arnold ! » lâche-t-il à la cantonade. Arnold ? « Oui, Arnold Schwarzenegger ! » murmurent quelques Iraniennes au premier rang. Le Arnold aux gros biceps des films américains, le tombeur de ces dames, le gouverneur républicain de Californie ! Eh bien oui, ce jour-là, on apprend que, petit, Arnold, né un 30 juillet 1947, était un enfant timide, issu d'une famille modeste et peu gâté par la nature : il était maigrichon, avec des bras trop longs, et une santé fragile. Mais grâce au football et au body-building, il a fini par retrouver confiance en lui. Enfoncées dans leurs fauteuils, les patientes-spectatrices prennent assidûment des notes, les yeux gourmands de détails.

C'est le comble du paradoxe. La République islamique – qui n'a plus aucune relation diplomatique avec Washington depuis la prise d'otages à l'ambassade américaine, en 1979 – a beau s'attaquer à « l'invasion culturelle occidentale », la société iranienne n'a jamais été aussi friande de produits et de valeurs *made in USA*, de la « Pizza Hot » – imitation mal orthographiée de la grande chaîne de restauration américaine – aux techniques outre-Alantique qui tournent autour du « Bien-être » personnel. Cours d'aérobic, body-building, yoga, méditation… Tout ce qui débarque du Grand Satan est bon à prendre. Un moyen comme un autre de s'échapper, le temps d'un après-midi, de la grisaille ambiante qui étouffe Téhéran.

Et c'est là, semble-t-il, la raison principale du succès des séminaires d'Ahmad Hellat : le besoin de s'évader d'un univers sclérosé où l'avenir est trouble et les loisirs largement limités. Fatiguées des discours répétitifs des religieux, qui dirigent le pays depuis vingt-sept ans, nos pintades sont tout simplement en quête de nouveaux modèles de référence. Non rassasiées par les conférences de ce gourou « maison », elles se ruent tous les quinze jours dans les kiosques à journaux pour se procurer sa revue, *Réussite* (*Movafaqiat*), qui tire à 400 000 exemplaires ! On y trouve, aux côtés de conseils tournant autour de la vie conjugale et des rapports de travail en entreprise, une profusion d'encarts

publicitaires vantant les mérites d'un nez refait, d'un implant capillaire, d'un massage miracle pour mincir. Le tout justifié par un besoin de mieux se sentir dans sa peau.

Un détour par les bouquinistes de l'avenue Enghelab (avenue de la « révolution », en référence au soulèvement populaire qui renversa le Chah, en 1979) permet de mieux déceler l'ampleur du phénomène. À côté des essais religieux et des romans persans classiques, une nouvelle littérature aux titres alléchants inonde aujourd'hui les vitrines des librairies. *Cinquante méthodes pour simplifier votre vie*, *Trouver son Dieu interne*, *L'Alphabet de la joie*, *Les Vitamines du bonheur*. On a l'embarras du choix. Si après l'élection de Khâtami en 1997 et l'assouplissement de la censure, les essais politiques et philosophiques ont rapidement conquis le public iranien, assoiffé de nouveautés, la vedette revient désormais à tous ces livres de *Self help* qui tournent autour de la connaissance de soi. Ça saute aux yeux : à la mobilisation collective expérimentée au moment de la révolution islamique, les Iraniens et les Iraniennes privilégient aujourd'hui un cheminement plus individuel. Leur révolte contre le système n'est pas violente. Elle est souterraine. D'où le boom inédit de la lecture de tous ces livres touchant au spirituel, à la psychologie, aux techniques de communication et au succès de l'individu…

Et dans la série « satanique », la palme des best-sellers revient, tenez-vous bien, aux traductions, en persan, d'ouvrages de maîtres à penser américains : Anthony Robbins ou encore Jack Welch. L'ancien directeur de General Electric serait sûrement le premier surpris d'apprendre qu'en République islamique, son livre se vend comme des petits pains. L'Iran, qui refuse de s'abonner à la culture du copyright, publie, à tout va, des ouvrages étrangers à l'insu de leurs auteurs. « Certains bouquins ont dépassé la vingtième réédition », s'esclaffe Hossein Sadeghi, libraire depuis vingt-cinq ans. *Les hommes viennent de Mars, les femmes viennent de Vénus*, de John Gray, un livre pourtant ciblé sur la classe moyenne américaine, fait partie des plus vendus. La biographie de Hillary Clinton, traduite en trois versions différentes, a également conquis le cœur des Iraniennes. « C'était une fille simple et je voulais juste me rendre compte comment une fille simple peut réussir », confie Maryam, une jeune artiste de 22 ans. « Elle n'était ni belle, ni riche. Mais elle est devenue la femme du Président des États-Unis, ainsi qu'une sénatrice de talent », glisse-t-elle. « Ma génération a vécu les années post-révolutionnaires, puis la guerre Iran-Irak. Aujourd'hui, les mollahs sont incapables de répondre à nos attentes. Il n'y a pas de liberté, il n'y a pas de débouchés économiques. Ces livres et ces séminaires m'aident à positiver », reconnaît Forouzan, une secrétaire de 35 ans, fidèle abonnée des séminaires d'Ahmad Hellat. La séance n'est pourtant pas donnée : l'équivalent de 7 euros, soit 10 fois le prix d'un billet de cinéma ! Mais à voir la cadence avec laquelle les hôtesses d'accueil enregistrent, à la sortie, les inscriptions pour la prochaine session, le bonheur n'a pas de prix.

4. Du vent dans les voiles

Petite leçon de *hedjab*

La première impression qui se dégage à l'aéroport de Téhéran est assez déroutante. La valse des corps féminins voilés, qui glissent entre valises et cartons, a de quoi donner le tournis. Alors, le foulard maladroitement noué autour du cou, obligatoire même pour les étrangères, tel un second visa d'entrée, on se fraye un passage entre les chariots, en essayant de se raccrocher aux visages féminins souriants qu'on a croisés dans l'avion. Vaine tentative : quand un chignon disparaît sous un voile, ça vous change une femme ! Et là, à force de scruter tous ces petits minois anonymes, on réalise avec quelle habileté – parfois même élégance, serais-je tentée d'ajouter au risque d'irriter les lectrices féministes – les Iraniennes s'affublent de l'uniforme en vigueur. Ici, une mère de famille a savamment coincé entre ses dents son tchador noir (qui lui recouvre tout le corps) pour pouvoir tenir à bout de bras ses deux chérubins. Là, une pin up, en veste saharienne et pantalon moulant, arbore une petite mousseline qui laisse glisser de jolies boucles brunes. Moi, j'ai plutôt l'impression d'aller traire les vaches avec mon fichu sur la tête qui a du mal à tenir en place. « Vous verrez, on finit par s'y habituer ! » sourit ma voisine de chariot.

Le pire, c'est qu'elle n'a pas complètement tort. Dix années se sont écoulées depuis mon arrivée en Iran. Et je réalise que je suis devenue comme elle, une pro du *roussari* (terme persan pour désigner le foulard qu'on cale sur sa tête). À la maison, je déambule, comme la plupart des Iraniennes, en chemisette et pantalon. Mais dès que je sors dans la rue, je ne me pose même plus la question. Je pioche, sans réfléchir, parmi la dizaine de foulards qui pendouillent au portemanteau. Automatisme déroutant qui peut parfois mener à la confusion totale. Chaque passage en France nécessite une « réadaptation ». Au début, on a la sensation qu'il nous manque quelque chose sur la tête. Drôle d'impression également que celle de sentir le vent caresser son cou. Et, réflexe digne de Pavlov, on se surprend, en pleine séance parisienne de lèche-vitrine, à accorder une attention particulière aux châles et aux étoffes, avec le même petit refrain qui trotte dans la tête : « Tiens, ça irait bien avec mon nouveau *mantô.* » Par *mantô*, les Iraniennes entendent la tunique qui vous recouvre le corps : robe longue, imperméable, veste. Ou manteau, tout simplement.

Quand on habite à Téhéran, on apprend vite qu'il existe mille et une façons de se voiler. Et mille et un termes pour parler du foulard islamique. *Hedjab*, le mot générique pour désigner le voile censé cacher les cheveux, les oreilles et le cou, vient de l'arabe. Il est formé sur la racine *hadjaba*, qui signifie « cacher, dérober aux regards, mettre une distance ». Bien souvent, on entendra également parler de *pouchech*, mot à racine persane qui signifie « couverture », ou « recouvrement ». Mais de tous ces noms, les Iraniennes ont tendance à privilégier le *roussari.* Ça sonne mieux. Ce tour d'horizon ne peut être complet sans évoquer le *maghnahé*, un genre de foulard-cagoule qui ne laisse apparaître que l'ovale du visage et qui s'est imposé, depuis la révolution islamique, comme l'uniforme en vigueur dans les établissements scolaires et universitaires. Et dans les administrations étatiques. Raison invoquée : il ne tombe pas, donc il est plus conforme à la morale religieuse.

Venons-en au tchador – littéralement « tente » – ancré dans l'imaginaire collectif occidental comme la tenue obligatoire des Iraniennes. Ce long pan de tissu, sans manches ni boutons, qui vient recouvrir tout le corps, se porte noir dans la rue et fleuri à la maison. Petite précision : il est facultatif (à condition bien sûr de se couvrir, à la place, d'un foulard). De nombreuses femmes issues de milieux traditionnels n'ont pourtant pas le choix : leurs maris leur « recommandent » de le porter, parce que, comme le rappelle un petit manuel de bonnes manières islamiques, *Le Hedjab des filles*, publié en persan dans la ville sainte de Qom, « il évite que les étrangers puissent deviner le corps de la femme ».

Avant d'achever cet intermède vestimentaire, il est également bon de préciser les conditions d'utilisation du voile. Pour simplifier, deux termes sont à retenir : *mahram* et *na mahram.* L'islam, religion d'État en Iran, autorise la femme à se découvrir uniquement devant un *mahram* (littéralement « confident » ou « proche »), c'est-à-dire son père, son frère ou son fils. Mais face à un *na mahram* (qu'on pourrait traduire par « étranger »), la tête doit disparaître à nouveau sous le foulard. En d'autres termes mesdames, ne vous aventurez pas à vous dévêtir à la table d'un restaurant, d'un café, ni même dans l'obscurité d'une salle de cinéma. Oui, il fait chaud sous le foulard. Oui, ça démange et ça donne parfois des pellicules. Oui, c'est franchement agaçant de voir les franges de son *hedjab* plonger dans la soupe. Mais si votre « couvre-chef » s'amuse à trop glisser derrière la tête, un serveur se chargera de vous rappeler à vos bons devoirs.

L'étrangère de passage à Téhéran pourra néanmoins se permettre certaines entraves à la règle, en nouant son petit fichu derrière les oreilles, ou bien en le remplaçant par un bonnet qui cache les cheveux. D'ailleurs, elle sera vite surprise de voir avec quelles ruses ses consœurs iraniennes ont appris, au fil des années, à transformer leur foulard obligatoire en accessoire de beauté. L'été, elles le portent à la Grace Kelly, avec des lunettes de soleil. Selon la mode, car il y a désormais une mode autour du foulard, la frange dépasse devant, ou bien la queue-de-cheval s'échappe derrière. Mèches rebelles qui en disent long sur cette subtile résistance féminine qui revendique, sous de multiples formes, le droit à une vie sans entraves. Parfois, sur les pistes de ski, loin des regards des milices islamiques, le *roussari* tombe nonchalamment sur les épaules. Sensation légère de liberté dérobée. L'adrénaline monte. Le sourire forme un croissant de lune sur les visages féminins.

Controverse à peine voilée

Si les jeunes Iraniennes se sentent portées par tant d'audace, c'est peut-être, au fond, parce qu'elles peuvent jouer avec les ambiguïtés qui entourent l'obligation de porter le foulard. Il n'existe aucun texte de loi qui impose le *hedjab* et qui précise sous quelle forme il doit être porté. Le voile islamique s'est, en fait, imposé de facto après le renversement de la monarchie. Tout est parti d'un commentaire de l'ayatollah Khomeini, le 7 mars 1979, s'indignant des tenues dénudées de certaines citoyennes. Le lendemain, à l'occasion d'une manifestation célébrant la Journée internationale de la femme, les Iraniennes non voilées sont molestées par les miliciens islamiques. Au fil des mois, foulards et manteaux s'imposent comme un uniforme dans les lieux publics : bureaux, administrations, autobus. Les couleurs vives sont rapidement proscrites. Les chaussettes sont obligatoires, pour éviter tout signe de sensualité. Prises dans un élan révolutionnaire, de nombreuses femmes acceptent les nouvelles conditions, en les considérant comme partie prenante de la lutte contre « l'impérialisme occidental ».

Pour d'autres, qui voient immédiatement dans l'imposition du foulard la privation des droits individuels, la pilule est plus difficile à avaler. « C'est une erreur d'imposer le foulard par la force. Car la loi de Dieu ne reconnaît aucune obligation », se désole Farideh Emam, une ancienne institutrice. Et de citer un verset du Coran : « Toi, le prophète, tu dois juste avertir et partir. » « L'éducation religieuse devrait suivre cette consigne : rappeler leurs devoirs aux jeunes filles, sans recourir à la contrainte », insiste cette musulmane, qui porte pourtant le foulard, mais par choix personnel. Sa thèse : toute forme d'obligation est destructrice. Petit rappel historique : « En 1935, sous Reza Chah, le père du dernier Chah d'Iran, le tchador fut, à l'inverse, soudainement interdit aux femmes. Ce fut un choc pour les

Sara, la poupée des petites musulmanes

Barbie n'a plus qu'à aller se rhabiller. Depuis six ans maintenant, sa rivale iranienne lui fait de l'ombre dans les vitrines de Téhéran. Elle s'appelle Sara et elle a huit ans. Elle porte un foulard, qui encadre son visage rondouillard, mais cela ne l'empêche pas de soigner son look. À sa façon. Aux minijupes moulantes de son alter ego yankee, elle préfère les tenues folkloriques des régions d'Iran : tunique multicolore du Baloutchistan, robe longue rouge du Kurdistan, tchador noir du Khouzistan. Normal, son papa travaille pour l'Organisation de la protection du patrimoine. Et sa maman est femme au foyer. « Elle est un modèle d'intelligence, de modestie et de sagesse pour les petites musulmanes. Pas comme Barbie, la dévergondée ! » fanfaronne un de ses créateurs, Madjid Ghaderi. Pas de maillot de bain, donc, dans sa garde-robe. D'ailleurs, impossible de la dénuder : les vêtements sont collés sur la poupée. Oui, collés avec de la colle !

(…)

Iraniennes traditionnelles. Elles n'osaient plus sortir dans la rue, même pour se rendre au bain public, car sans le voile, elles se sentaient complètement vulnérables », dit-elle.

Le port obligatoire du voile islamique n'est donc, paradoxalement, pas mentionné dans la Constitution de la République islamique d'Iran. Mais le code pénal précise que « les femmes qui apparaissent en public sans le vêtement islamique prescrit peuvent écoper de dix jours à deux mois de prison ou d'une amende pouvant s'élever jusqu'à 500 000 rials » (l'équivalent de 50 euros). Méthode bien draconienne pour un bout de tissu. Après l'élection d'un réformateur, le Président Khâtami, en mai 1997, les Iraniennes se sont néanmoins engouffrées dans les brèches ouvertes par le vent des réformes pour s'accorder quelques libertés : d'abord les foulards colorés, puis les mèches rebelles et les touches de maquillage, ensuite les manteaux cintrés. « Les Iraniennes ont réussi à imposer le changement, par dose homéopathique. Condamnées à l'invisibilité, elles se sont lancé comme défi de redevenir visibles », commente la sociologue iranienne Masserat Amir Ebrahimi. Et en dépit des craintes soulevées par l'arrivée de l'ultra-conservateur Mahmoud Ahmadinejad, en 2005, le vent continue aujourd'hui à souffler allégrement dans les voiles.

Ah, ce foulard qui fait couler tellement d'encre… En France, on connaît la chanson par cœur depuis le débat lancé par la loi sur le port des signes religieux. Ce n'est qu'un début. En Iran, cela fait maintenant près de trente ans qu'on retourne le sujet dans tous les sens. Sans avoir encore trouvé la solution idéale qui viendra satisfaire toutes les parties concernées. Car s'il est un symbole d'oppression pour certaines, il est aussi un outil d'émancipation pour d'autres…

Sur son blog, une jeune Téhéranaise de 25 ans se plaint de « cet objet qui étouffe et enlaidit le visage »… Ses propos sont partagés par de nombreuses filles de la nouvelle génération, nées après l'arrivée des religieux au pouvoir et élevées à cheval entre la propagande islamique et la culture du satellite. Mais, ironie du sort – et phénomène incon-

(…)

Et, histoire de respecter l'islam en vigueur, pas de petit ami, non plus, à l'horizon. Le Ken oriental s'appelle Dara, mais c'est le frère de Sara. Ils sont tous les deux fans de football, la seconde religion en Iran. « Les familles traditionnelles ont vite été conquises ! » lance Ali, vendeur de jouets près de la place Tadjrich. Et pour séduire encore plus les parents iraniens, Sara se vend la moitié du prix de la Barbie, soit l'équivalent de 15 euros. La mode post-11 septembre du boycott des produits américains aidant, Sara a vu naître une multitude de cousines à travers le monde arabo-musulman. Il y a la brunette Fulla dans le Golfe et en Afrique du Nord. Il y a Leyla au Maroc. Dans le Michigan, une société ciblant les communautés musulmanes a lancé Razanne, vendue aux États-Unis et en Grande-Bretagne. Mais chassez le naturel… Elles ont beau pouvoir acheter le chocolat Sara, les crayons Sara, le cartable Sara, la plupart des petites Iraniennes préfèrent les tenues roses à paillettes et les boucles d'oreilles de sa concurrente américaine aux cheveux blond platine. Comme leurs mamans finalement, fans de dessous affriolants sous leurs tchadors !

testable –, ce foulard n'a pas empêché les Iraniennes de faire des études. Bien au contraire. « L'instauration du port obligatoire du foulard a, en fait, donné une impulsion irrésistible à l'émancipation des femmes traditionnelles », remarque notre sociologue. Le *hedjab*, considéré comme « une protection contre les regards des hommes », a permis aux jeunes filles issues de familles conservatrices d'obtenir l'accord de leurs pères pour aller à l'école et à la faculté. Et de s'échapper du carcan familial où elles vivaient recluses, à l'époque de la monarchie, quand le voile était, à l'inverse, mal perçu. Foulard « passeport » donc, permettant de pénétrer plus facilement dans des sphères mixtes qui leur étaient jusqu'ici inconnues. Aujourd'hui, rappelons-le, les Iraniennes représentent plus de la moitié des effectifs sur les bancs des universités. Certaines d'entre elles continuent à revendiquer activement le port traditionnel du tchador, tout en étudiant les nouvelles technologies et en apprenant des langues étrangères.

Alors, pour ou contre le foulard ? À Qom, certains religieux réformateurs osent ouvertement suggérer qu'il soit facultatif. Car, disent-ils, le rendre obligatoire provoque, chez celles qui le rejettent en bloc, les effets inverses : maquillage à outrance, mèches qui débordent de partout… À l'inverse, les partisans de la ligne dure du régime arguent que si le *hedjab* « est mal respecté », c'est parce qu'il n'existe pas de règle précise définissant sa forme, sa longueur, sa couleur. D'où ce projet de loi, proposé par certains députés conservateurs, suggérant la création d'un « uniforme national » ! Mais c'est sans compter avec la coquetterie et la malice des Iraniennes, qui en ont déjà vu d'autres. Comme la traditionnelle « chasse aux mal voilées », lorsque chaque été, la police des mœurs se met à sévir contre les foulards qui rétrécissent et les sandales qui laissent apparaître les orteils vernis, au fur et à mesure que les journées se réchauffent. Une fois passée l'humiliation du démaquillage forcé en public, voire la détention au poste, c'est la fierté qui reprend le dessus. Dans ce jeu de cache-cache incessant avec les règles en vigueur, voilà nos Iraniennes qui envahissent de plus belle les rues de Téhéran, le manteau au ras des fesses, la frange méchée blond avec reflets roux qui s'éclipse du foulard, et le contour des lèvres redessiné au crayon rouge.

La cérémonie du foulard

Pour ses neuf ans, Faezeh m'a invitée à une petite fête, organisée dans le préau de son école. À l'entrée, sur la table, il y avait des fleurs, des bougies, des noix et un gros gâteau. En son centre, une décoration à la crème représentant le chapelet de la prière. J'ai voulu me retourner pour demander à Faezeh ce qu'une telle illustration venait faire dans une fête d'anniversaire. Mais impossible de la distinguer des autres gamines rassemblées pour l'occasion. Partout, de petites nonnes drapées de voiles blancs, un ruban rose bonbon cousu au niveau de la tête ! Faezeh ! La jolie brunette aux boucles folles, fan de chemisettes et de jupettes à froufrous, a disparu, comme les autres, sous un voile uniforme ! À neuf ans, la petite Faezeh, si innocente, si fraîche, est tout d'un coup devenue une « femme », c'est-à-dire qu'elle a atteint l'âge de la maturité selon l'islam. Elle doit donc porter le foulard. C'est ce qu'on appelle, ici, « la fête du devoir » (*djachné taklif*). Incroyable. Le foulard est obligatoire, et en plus il faut le fêter.

Faezeh, elle, n'a pas l'air de s'en soucier, trop jeune sûrement pour réaliser ce qui lui arrive. « Ça te plaît ? Je suis sûre que tu veux le même », me susurre-t-elle en souriant. Sortie d'un corps de fantôme, sa voix, heureusement, n'a pas changé.

« Hum, ouais, pas mal le petit ruban rose. Ça fait paquet cadeau ! » je lui dis, en m'efforçant de ne pas briser son enthousiasme. Imitant les copines d'à côté, elle s'amuse à bondir sur sa chaise, en faisant flotter les pans de sa parure blanche, à la manière d'un papillon.

Le long des murs au papier peint recouvert de ballons, on retrouve quelques formules coraniques. Et puis, des hommages à la femme voilée : « Comme une perle dans un coquillage, comme un bourgeon dans le ciel, tu es plus belle qu'une fleur ! » En page 18 du petit livre intitulé *Le Hedjab des filles*, il est écrit : « Selon l'islam, dès que les premiers signes de beauté sexuelle apparaissent, les jeunes filles doivent se couvrir d'un voile pour se protéger des mains des chasseurs avides qui errent dans les rues. » De quoi faire des cauchemars, si on lit la chose au premier degré…

Sur une minuscule scène en bois, quelques camarades, venues, elles aussi, souffler leurs 9 bougies, ont préparé une pièce de théâtre. L'histoire ? Trois petits anges sont venus apporter un cadeau à leur camarade de classe : un tchador blanc, comme celui de Faezeh ! « Il est si fin, si joli », s'exclame la petite. La salle est en émoi. Appuyée contre le mur, j'ai l'impression d'assister à un film, qui tangue entre comédie et tragédie. Sans compter les jets de lumière colorée, la musique pop et les applaudissements qui viennent renforcer l'absurdité de la situation. Et attention, la fête ne fait que commencer. Arrive le magicien. Dans son costume sombre, il ressemble à un croque-mort. Droit comme un pic, il entame quelques tours de passe-passe soporifiques sans décrocher un sourire. L'institutrice n'a pas dû bien le payer. Elle encourage tout de même les petites nonnes au ruban rose à frapper dans leurs mains. Mais dans le public, l'enthousiasme commence à s'essouffler. Il fait chaud, et Faezeh irait bien jouer dans la cour au lieu de rester coincée sur sa chaise en bois. Ce n'est pas fini. Le papa d'une de ses camarades dirige un des orchestres de l'armée iranienne. Il vient de débarquer avec sa fanfare pour jouer l'hymne national. Tout le monde se lève, chante un bon coup. Au fil de la mélodie, pourtant, des grappes de petites chauves-souris blanches se mettent à piquer du nez. Entre deux ronflements, les foulards glissent tout doucement... Derniers rêves de liberté, avant d'accomplir leur « devoir ».

Tchadors chics

Ni pancarte ni comité d'accueil à l'entrée. À l'interphone, une voix féminine vous invite à pousser la grille blanche et à bien la refermer derrière vous. Les marches qui mènent au parking souterrain de cet immeuble d'une dizaine d'étages, dans le nord-est de Téhéran, débouchent sur un spectacle des plus ébouriffants. Perchées sur un podium en placoplâtre, des mannequins graciles se dandinent au rythme d'une copie piratée d'une des dernières compils du Buddha Bar. L'une porte un kimono noir brodé de rouge mettant en valeur sa taille de guêpe. L'autre se pavane dans un poncho couleur crème qui laisse entrevoir le déhanchement sensuel de son bassin. Ballet de tissus voluptueux, de couleurs variées, de modèles inédits pour la plupart des spectatrices parfois venues de quartiers traditionnels de la capitale, où la formule manteau-foulard reste la tendance dominante.

Assises sur des chaises pliantes disposées le long des murs en crépi, elles dévorent du regard ce qui s'annonce comme la nouvelle tendance de l'hiver. Bienvenue dans l'antre de la mode underground iranienne, chez Nina Ghaffari, 27 ans, cheveux coupés à la garçonne et pantalon baggy, star grimpante de la haute couture persane.

« Je voulais organiser ce défilé dans un musée ou dans une galerie d'art, mais je n'ai pas obtenu d'autorisation, alors j'ai fini par transformer ce parking en salon », sourit la jeune créatrice, grande habituée des détours à emprunter pour aboutir à ses fins. Les modèles qu'elle dessine sont pourtant en apparence irréprochables : ils ne révèlent pas ostensiblement le dessous du genou, cachent suffisamment la poitrine et leurs tons sont plutôt doux. « Dans mon travail, j'essaye de concilier les contraintes islamiques et l'exigence d'élégance des Iraniennes », explique Nina. Mais pour certains Gardiens de la morale religieuse, le principe même d'un défilé de mode revêt une consonance trop occidentale, qu'il faut proscrire.

À en juger par les applaudissements chaleureux de la salle, les Iraniennes n'y voient, elles, pas le moindre inconvénient. Elles ont plutôt tendance à en redemander, en croquant des yeux les nouveaux modèles de la saison. Comme toujours à Téhéran, c'est le bouche à oreille qui les a amenées jusqu'ici. Discrétion oblige, la promotion du défilé s'est d'abord faite par courrier électronique, une méthode bien rodée des milieux artistiques iraniens qui ont fait de l'Internet un outil incontournable pour annoncer leurs expositions et concerts de rock clandestins. Il existe même un Festival iranien de musique underground entièrement organisé sur la Toile.

À Téhéran, il suffit d'entretenir un petit réseau social pour recevoir, au moins tous les deux mois, une invitation à ce genre de défilés, qui se cantonnent il est vrai principalement aux quartiers branchés et occidentalisés du nord de la ville. Souvent, la haute couture iranienne cède la place au prêt-à-porter occidental : blue-jeans américains, vestes françaises, chaussures italiennes... Derrière les murs d'incroyables villas aux allures de petits palais persans, transformées, le temps d'une soirée, en dépôt-vente, on se lance dans l'essayage, et l'achat au marché noir des dernières coupes de chez Zara, Morgan ou encore Vero Moda. Les arrivages se font au gré des voyages à Dubaï de la maîtresse des lieux, et des envois qu'organisent certains de ses fournisseurs depuis la Turquie. Vestes cintrées, robes pailletées, kalachnikovs et couteaux crantés, même combat, tout transite clandestinement, à dos d'âne, à travers les montagnes enneigées du Kurdistan. Drôle de route pour de simples fringues, qui se retrouvent à voyager, parfois, dans les mêmes caisses que le vin et la drogue transportés par les passeurs. Un petit jeu bien rodé que connaissent par cœur les Iraniennes, véritables pros de l'économie parallèle, et où les douaniers acceptent régulièrement de fermer les yeux en échange d'un bakchich...

Au fil des dernières années, de petites boutiques de mode ont également commencé à fleurir dans les rues de Téhéran, sous la barbe des religieux en turban dont les portraits dominent les fresques révolutionnaires. Mimosa rose, sur l'avenue Mirdamad ; Mister Peach, le long de Pasdaran ; ou encore Kiss me, dans la galerie marchande de Tandis. Coincé au-dessus de la place Tadjrich, dans le nord de la capitale, ce nouveau centre commercial offre une sélection inespérée d'escarpins à bouts pointus, de chemisettes en soie et de ceintures en cuir, panoplie indispensable des nombreuses soirées clandestines. Pour assortir le manteau qui viendra recouvrir, dans l'espace public, une partie de ces atours, il suffit d'aller faire sa pêche, un peu plus vers le centre ville, dans l'un des nombreux magasins de la place Hafté Tir, le Saint-Germain du *mantô*. Là-bas, les vitrines proposent un éventail de vestes en lin, de manteaux serrés à la taille par une petite ceinture, et de foulards d'imitation Vuitton, Gucci et Yves Saint Laurent.

C'est le repaire favori de Soudabeh, une jeune midinette en veste en jean longue, assortie d'un foulard bleu transparent. Quand il est de bonne humeur, son petit copain, Ali, joue le rôle de conseiller. « Nous les garçons, on juge les vraies *dâf* (comprenez les « canons ») sur la taille de leur manteau, la longueur de leur foulard et la couleur de leur sac. Si elles sont ringardes, on ne les regarde même pas ! » ricane-t-il. Assis derrière son comptoir, le jeune vendeur se sent dépassé par les événements. « Avant, dit-il, mes clientes me commandaient des foulards de 90 centimètres de large. Aujourd'hui, elles refusent de porter des fichus de plus de 50 centimètres. Elles s'affublent de manteaux tellement collants qu'on dirait une seconde peau ! » Vu l'attention que les Téhéranaises portent à leur apparence, son métier est particulièrement lucratif. Mais risqué. « Je dois me plier aux exigences de mes jeunes clientes, si je ne veux pas faire faillite. Mais je dois aussi rendre régulièrement des comptes à la police des mœurs… L'été dernier, on m'a forcé à fermer boutique parce que je vendais des manteaux au-dessus du genou. J'ai même des collègues qui ont dû payer de lourdes amendes », soupire-t-il en fronçant les sourcils.

Pour éviter ce genre de galère, Mahla Zamani a trouvé la solution : « La mode islamiquement correcte. » Un business qui s'avère très juteux. Entre deux sonneries de téléphone, elle se précipite à la porte de son atelier de confection pour réceptionner la livraison tant attendue : les uniformes flambant neufs des hôtesses d'accueil de l'hôpital Deh, dont elle vient de dessiner le nouveau modèle. Les yeux pétillants, elle vérifie le contenu des cartons. Tout y est : la tunique longue, qui s'arrête au genou, et le foulard en mousseline, accompagné d'un petit chapeau en tissu. « Classe et discrétion garanties ! » pouffe-t-elle.

La cinquantaine passée, cette ancienne banquière aux yeux de biche, fan de haute couture et de défilés, a plaqué la finance il y a maintenant quatorze ans pour créer sa propre ligne de vêtements pour femmes

Boutiques chics

Vous pourrez sans doute trouver mieux et moins cher en France. Mais si vous devez faire du shopping à Téhéran, un détour par la place Hafté Tir s'impose pour dégoter une longue veste en jean pour les plus branchées, ou un manteau sombre incrusté de petites pierres pour les plus conservatrices. Pour les chaussures à talon, les mules, et les pantalons taille basse qu'on porte sous le voile, ce sont les galeries marchandes de la place Vanak qui feront l'affaire. Au passage Golestan, en plein cœur du quartier de Charaké Qods, à l'ouest, les filles s'habillent en Benetton, Zara, Mango et autres marques européennes (essentiellement les collections vieilles de cinq ans).
Ne pas oublier de faire escale au centre commercial Tandis, près de la place Tadjrich, au nord, où les boutiques proposent également un arrivage régulier de tenues étrangères. Et pour les dessous chics, c'est sur l'avenue Ferechteh qu'il faut traîner. Préparez vos portefeuilles. Les prix y sont plus élevés qu'à Paris.

musulmanes. En vente dans les kiosques, son magazine de mode *Lotus* est le premier du genre en Iran depuis la révolution de 1979. Il présente toute une gamme de robes longues, de vestes colorées, parfois d'inspiration ethnique, assorties à des foulards soyeux qui recouvrent scrupuleusement la chevelure. Dans son temple de la mode, perché au deuxième étage d'un immeuble du centre de Téhéran, Mahla Zamani part du principe que les Iraniennes doivent s'adapter aux lois en vigueur dans la République islamique d'Iran, tout en entretenant leur beauté. Pas question de s'envelopper dans un épais tchador sombre. Tout l'art consiste à inventer des tenues confortables et légères, qui cachent les formes mais qui mettent la femme en valeur. Bon, on est encore à des années-lumière de la créativité de Kenzo ou Alaïa, et les Françaises auront peut-être du mal à y trouver leur compte…

Mais en Iran – où le choix reste tout de même limité –, la griffe Mahla Zamani se vend comme des petits *sangak*. Cette baronne de la haute couture iranienne a déjà signé de croustillants contrats avec quatre compagnies aériennes pour la création d'uniformes pour leurs hôtesses. Sans compter différentes agences de voyage et de nombreux hôtels de luxe, dont le fameux Dariouch sur l'île de Kich, dans le golfe Persique. Il lui arrive même de confectionner des costumes pour séries télévisées à l'eau de rose. Et quand elle s'efforce de convaincre les fonctionnaires du ministère iranien de l'Éducation d'opter pour la couleur dans les uniformes des écolières, elle n'hésite pas à se réfugier dans des arguments soi-disant scientifiques. « Je leur ai fait comprendre que le noir est une couleur à proscrire. C'est reconnu par les scientifiques : il empêche de faire passer la lumière et peut provoquer une maladie des os. En plus, le noir est source de dépression », insiste-t-elle.

« Même les femmes de certains cheikhs des Émirats arabes voisins me passent des commandes par fax, pour que je leur confectionne des tenues de soirée islamiques ! » jubile Mahla Zamani, en pointant du doigt son agenda de ministre. L'ancienne financière est loin d'avoir oublié le sens des affaires. « Regardez le nombre de musulmanes à travers le monde. Il y a là un marché très prometteur », lance-t-elle sans détour, en rêvant du jour où sa marque « sera comparée au Versace du Moyen-Orient ».

Dessous chocs

Attention, tchador noir cache dentelle rouge ! À Téhéran, on apprend vite à ne pas se fier aux apparences. Prenez ma copine Sara. Quand elle sort dans la rue, cette Iranienne de 28 ans cache sa beauté naturelle sous un manteau lâche et un châle négligemment jeté sur la tête. Il faut dire qu'elle n'a plus rien à prouver. Son prince charmant, elle l'a déjà trouvé il y a quatre ans. Mais en matière de lingerie fine, Sara reste imbattable. Sa théorie : « Ce n'est pas parce que je dois porter un fichu sur la tête que je dois négliger mon corps ! »

Dans le labyrinthe saturé de la capitale iranienne, elle a réussi à dénicher le paradis en enfer : une boutique de tenues légères, coincée entre un café branché et une épicerie. Au milieu de Ferechteh (« l'ange », en persan), une avenue, perchée dans le nord huppé de la capitale, qui porte finalement bien son nom. Pour pénétrer dans ce temple magique du dessous chic interdit à la gent masculine, il faut montrer patte blanche. Une jeune vendeuse à talons aiguilles vient vous ouvrir la porte, après vous avoir examinée de haut en bas. Son parfum caramélisé a envahi l'espace réduit et feutré de la boutique à deux étages, où de jeunes clientes se tortillent au rythme d'une mélodie étrangement familière : la bande originale de *Titanic* – le film, vendu sous le *hedjab*, a fait fureur en Iran !

Une fois vos préférences passées en revue, la vendeuse aux sourcils en accents circonflexes se met à sortir délicatement de ses tiroirs une panoplie de *lambada* – c'est le surnom iranien d'usage pour désigner les strings ! Eh oui, ici, comme à Paris ou à New York, la mode est au « plus c'est petit, mieux je me porte ». Et pour satisfaire ses clientes embourgeoisées, fans de Fashion TV qu'elles captent clandestinement grâce aux antennes « paradiaboliques », la jeune femme s'est spécialisée dans le Victoria's Secret ! Comme beaucoup d'autres produits de luxe, cette

La griffe Sadaf

La mode, c'est sa vie. À 30 ans, Sadaf, jeune créatrice de talent, frange carrée et discret piercing sous la bouche, dessine des robes de soirée en satin, des tailleurs de ville, des tuniques colorées et audacieusement transparentes. Pour découvrir ses « trésors », qui ne peuvent se porter ici qu'en privé – dommage ! –, mieux vaut faire partie de sa liste de contacts triés sur le volet. Les défilés underground qu'elle organise épisodiquement se font dans la plus grande discrétion. Sinon, il y a toujours moyen de consulter son catalogue et de passer commande en accédant à son site web : www.sadaft.com

marque américaine – logiquement soumise à l'embargo imposé par Washington, transite par Dubaï, le supermarché hors taxe du Moyen-Orient, pour ensuite venir remplir les rayons de ce petit refuge de l'avenue de l'Ange. Discrètement accrochée au mur, une affichette – obligatoire – qui représente un visage féminin voilé, rappelle aux clientes de « bien respecter le *hedjab* ». Mais ça n'a pas l'air de troubler Sara, concentrée à bloc sur les *lambada* en soie et en dentelle qui lui font des clins d'œil.

Après quelques minutes d'attente, la vendeuse réapparaît avec les soutiens-gorge assortis, qu'elle fait glisser, telles des perles rares, entre ses longs doigts aux ongles vernis. Les yeux de Sara font des étincelles. Ce jour-là, elle cède à la tentation d'une élégante petite culotte satinée, dont le prix équivaut à quatre *tchelow kebab* dans l'un des meilleurs restaurants de la capitale. Son budget annuel moyen consacré à ces tenues secrètes, que seul son mari sera en mesure d'apprécier, tourne autour de 800 euros. « Si je trouve un ensemble *lambada*-soutien-gorge pour l'équivalent de 250 euros, je n'hésite pas, j'achète ! » dit-elle. 250 euros : un montant qui dépasse le salaire iranien moyen. Mais pour Sara, entretenir sa féminité n'a pas de prix.

N'allez pas croire que les jeunes branchées du nord de Téhéran ont le monopole de la coquetterie coquine. Au contraire. Un petit détour par le Grand Bazar, dans le Sud populaire, permet de vite remettre les pendules à l'heure. Dans ses galeries sous arcade, on y croise des Iraniennes drapées de noir, le cabas rempli de légumes sous un bras et l'autre main libre en train de tâter, tels des melons frais, des soutiens-gorge roses en nylon disposés sur l'étal d'un vendeur de sous-vêtements bon marché. Tout comme la papeterie, les orfèvres et les tapis, la lingerie dispose d'une section à part. Le visage à moitié caché par son voile sombre, Hamideh vient de plonger la tête la première dans un bac rempli de *lambada*. Cette femme au foyer, mère de trois enfants et originaire d'un milieu religieux et ouvrier, est en pleine mission d'exploration.

Tout d'un coup, la voilà qui se redresse, triomphante, brandissant sa fructueuse découverte : un string rose pétant à froufrous ! Avec, en prime, un message imprimé sur le devant : « Sens Interdit ! » Le tout pour l'équivalent de 5 euros. Hamideh laisse exploser sa joie. « Mon mari va adorer ! » lâche-t-elle, sous le regard sévère de l'ayatollah Khamenei dont le portrait est placardé sur le mur au-dessus du bac à porte-jarretelles (le guide suprême de la République islamique a droit à son effigie dans tous les magasins iraniens, et les boutiques de dessous frivoles ne dérogent pas à la règle).

Ces petits objets de libertinage, qui rappellent les gadgets racoleurs de Pigalle, sont-ils donc licites en République islamique ? « Je porte un tchador pour me protéger du regard des hommes dans l'espace public. Mais le soir, je me maquille, je mets des bijoux et je sors mes plus beaux sous-vêtements pour mon mari. En tant que bonne musulmane, c'est mon devoir d'être sensuelle pour mon époux », commente sans tabou Hamideh. En vente libre près du mausolée de l'imam Khomeini, de petits fascicules intitulés *Les Conseils de la première nuit*, expliquent d'ailleurs aux épouses vierges comment se parfumer avant la nuit de noces, et comment s'habiller légèrement pour se rendre désirable chaque fois que le mari rentre à la maison. On l'aura donc vite compris. Sous le voile, la coquetterie – autorisée et encouragée par la nomenklatura religieuse – n'a pas de limite. Quitte à frôler la vulgarité.

Chez Sayeh (« L'ombre »), une boutique pour femmes en plein cœur du Bazar, un mannequin accroché au-dessus du comptoir, arbore un soutien-gorge rouge carmin avec string assorti. Précision nécessaire : au niveau de la pointe des seins et du pubis, un petit espace a été volontairement laissé à l'air libre. Sur les étagères, les clientes ont l'embarras du choix : nuisettes à pompons, jarretelles en dentelle, culottes violettes à froufrous, chemises de nuit transparentes bordées de plumes. Sur l'un des strings, on reconnaît

même la photo de Barbie, la poupée maudite des ayatollahs ultra-conservateurs. Les surprises ne s'arrêtent pas là. Interrogée sur les tendances du moment, Nassime, la vendeuse – voilée – s'empare d'un soutien gorge argenté qu'elle se charge de presser avec ses deux mains. Aussitôt, la mélodie de la Lambada (!) se met à seriner à travers la boutique ! Enchantées, les clientes se mettent à glousser sous leurs voiles. Il y a également le string musical. Il suffit d'appuyer sur un petit bouton, cousu sur le côté, pour entendre « *Happy birthday to you* » ! « Formidable ! » roucoule Zinat, une Iranienne fraîchement mariée et voilée des pieds à la tête. Avec son visage d'ange et son allure de nonne, on lui donnerait pourtant le bon Dieu sans confession. L'étiquette affiche un prix assez grassouillet – 30 euros – pour son modeste porte-monnaie. « Tant pis, j'achèterai moins de viande ce mois-ci. Quand il s'agit du budget sous-vêtements, mon mari me donne carte blanche ! » dit-elle.

« J'ai une incroyable variété de clientes : vieilles ou jeunes, modernes ou religieuses. Mais ce sont mes clientes les plus traditionnelles qui m'achètent les dessous les plus sexy, remarque Nassime. Bien souvent, les Iraniennes sont prêtes à se serrer la ceinture pour se procurer le sous-vêtement qui enchantera leur époux. Et elles attachent souvent plus d'importance à l'achat d'un string qu'à une robe de maison ! Car, précise-t-elle, à la différence de la tradition chrétienne, l'islam n'a jamais condamné le plaisir charnel. »

Chaleur dans la chambre à coucher téhéranaise.

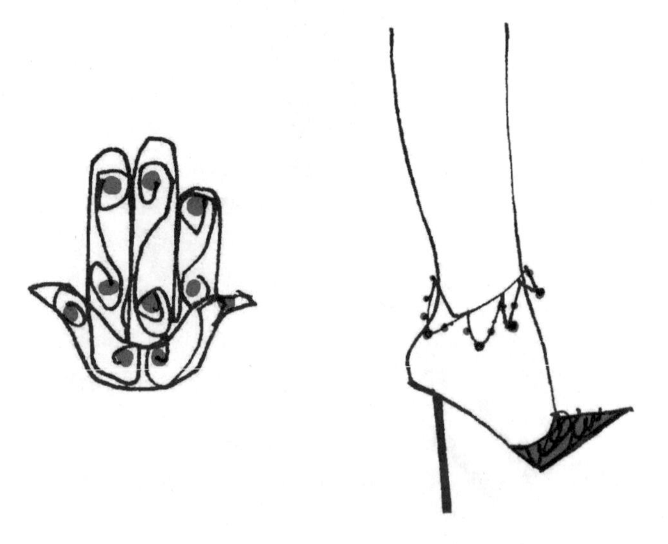

Sexy miliciennes

On m'avait dit : « Méfie-toi des femmes en tchador noir. » Mais quand Fatemeh, membre du *bassidj*, le Corps des miliciens islamistes, m'appela pour m'inviter à une fête, je n'ai pas pu résister à la tentation de pénétrer l'univers énigmatique de celles et ceux que la presse étrangère dépeint comme « les fous de Dieu ».

« C'est l'anniversaire d'une copine. Une soirée entre "sœurs". Rendez-vous à 4 heures place Tadjrich ! » me livre-t-elle comme unique indice, avant de raccrocher. Pas le temps de lui en demander plus. Ni de consulter les oracles pour savoir si l'on n'est pas en train de me tendre un guet-apens. Je n'ai qu'une heure devant moi. Quand on connaît les embouteillages de Téhéran, ce n'est pas gagné.

De Fatemeh, 24 ans, rencontrée deux ans plus tôt au Festival officiel de la défense sacrée (qui commémore la guerre Iran-Irak) je ne sais pas grand-chose. Si ce n'est qu'elle et son mari, Ali, sont de fervents défenseurs de la République islamique, fiers d'évoquer le souvenir de leurs oncles respectifs, morts au front en « martyrs ». Selon les règles du *bassidj*, Fatemeh et Ali ont pour rôle de veiller au bon respect de la morale islamique et des valeurs de la révolution de 1979 dans l'espace public iranien. Le vendredi, jour chômé, ils interpellent sans scrupule, matraque sous l'épaule, les adolescents qui chantent trop fort et les filles maquillées comme des vamps qui jouent au chat et à la souris sur les sentiers de randonnée qui dominent la capitale.

Après avoir fait nerveusement le tour des boutiques pour dénicher un cadeau pour la « fêtée » (difficile en effet d'imaginer les goûts d'une milicienne, dont on ne voit que le bout du nez dans la rue), je retrouve Fatemeh sur la place Tadjrich, au cœur d'un quartier mi-chic mi-populaire sur les hauteurs de Téhéran. Dans la foule de voiles noirs, je parviens à la reconnaître grâce à ses lunettes de soleil qui lui donnent des airs d'abeille quand elle porte son tchador. Nous sautons dans un taxi collectif, en direction d'Evin (du nom de la redoutable prison où la photo-journaliste irano-canadienne Zahra Kazemi a été cruellement battue à mort il y a quatre ans). C'est là, non loin des murs surmontés de fils barbelés du centre de détention, que se trouve le modeste appartement de nos pintades miliciennes, niché dans un immeuble à la façade grisâtre.

À peine arrivée, Fatemeh fonce dans l'une des chambres à coucher, au fond, me plantant au beau milieu du salon, les bras encombrés d'un énorme bouquet de fleurs, le cadeau le plus neutre que je suis parvenue à trouver. Derrière la porte, je ne parviens à déceler que quelques piaillements féminins. Dans quel genre d'histoire me suis-je fichue ? Pas de panique, la porte de sortie n'est pas loin, au cas où. Mes quelques minutes de solitude me permettent d'observer la décoration de la pièce : de petits canapés fleuris, un grand tapis persan, et quelques ballons colorés accrochés au mur pour l'occasion. On se croirait dans une maison de poupée kitsch des années 60. Plutôt réconfortant. Pas de kalachnikovs, non plus, à l'horizon. Je commence à me sentir plus à l'aise. Les armes que manient habituellement les miliciens ont dû rester à la base. Au centre, la table basse croule sous les coupes de fruits frais, les bols de chips et de caramels mous. Des verres en plastique sont remplis de Zam Zam (le Coca-Cola local). Dans l'entrée, une dizaine de voiles noirs pendent à un crochet.

Tout à coup, une bimbo aux yeux cernés de khôl se met à pointer le bout du nez de la pièce du fond. Elle porte un petit haut assorti à sa jupe moulante, laissant sensuellement apparaître son nombril, à l'instar des stars de vidéoclips américains. C'est Fatemeh, complètement métamorphosée ! Contraste saisissant : la dernière

fois que j'ai passé l'après-midi avec ce clone de Lindsay Lohan, c'était pour l'anniversaire de la révolution iranienne, en février dernier. Sur la place Âzâdi (« Liberté »), elle hurlait : « *Marg bar Amrika* » (« Mort à l'Amérique »), engoncée dans son tchador sombre... Ses copines – dont la « fêtée », Zahra, 16 ans –, que je découvre les unes après les autres, n'ont rien à lui envier. Elles portent toutes des pantalons en stretch, et de minuscules t-shirts sans manches. L'une d'entre elles a même sorti le maquillage à paillettes. Une autre a enroulé sa taille dans une ceinture en cuir noir, d'où pendent de petites chaînes argentées... Elle se met à entamer une sorte de rock'n roll – version danse du ventre – sur des airs de Chahrum K, Sandy et les Black Cats, les stars de la pop iranienne de Los Angeles, une musique bannie par les autorités de Téhéran, en frappant le sol avec un foulard. Soudain, elle attrape ma main en me suggérant d'imiter ses mouvements. Si l'on m'avait transposée ici sans me dire où je suis, je me serais crue dans une soirée sado-maso. Avec ma veste trois-quarts et mon teint livide (je n'ai pas osé me maquiller), j'ai l'air complètement à côté de la plaque.

Entre deux danses olé olé, les conversations s'enchaînent sur le même ton de légèreté que les tenues. Ça discute de potions magiques pour maigrir, d'épilation, et de nouveaux sous-vêtements à la mode. Celles qui sont mariées s'échangent, en ricanant, des plaisanteries salaces sur leurs époux. Moi qui pensais que lorsque les femmes *bassidji* se réunissaient, c'était pour lire le Coran et se plaindre de l'invasion culturelle occidentale. J'ai tout faux. Maryam, 36 ans, la maîtresse des lieux, n'en finit pas d'évoquer, dans le détail, les nouveaux *souteez* (surnom qu'elle donne aux soutiens-gorge) qu'elle vient d'acheter à ses filles : l'un bleu à dentelle, l'autre jaune en coton. Je leur propose de faire quelques photos souvenirs de la fête que j'imprimerai plus tard pour elles. Elles sont surexcitées et se mettent à défiler devant l'appareil en posant comme des pin up endiablées.

La mode au masculin

À force d'évoquer le foulard obligatoire, on en oublie souvent de rappeler que les Don Juan de Téhéran ont eux aussi trinqué après la révolution. Depuis 1979, les puritains de l'islam ont cherché à imposer le look « épuré » : chemise sans col, cravate interdite, short proscrit en public, savates en plastique, barbe de plusieurs jours. Le Président iranien vient même de lancer la mode du « veston Ahmadinejad », petit blouson informe de couleur crème. Islamiquement correct certes, mais pas vraiment sexy pour chasser la minette sur l'avenue Jordan. Pour plaire aux filles, les beaux mâles de la capitale donnent plutôt dans le look « sicilien » : chemise ouverte jusqu'au nombril, lunettes de soleil à la Ray-Ban, et beaucoup de parfum ! Les *fashion victims* de Téhéran sont à l'inverse de leurs dirigeants : ils sont obsédés par la propreté. La barbe est toujours soigneusement rasée, les sourcils de trop nettoyés à la pince à épiler, et les cheveux parfaitement « brushés ». De vrais *dandies* des temps modernes. Sans compter ceux qui se laissent de plus en plus tenter par la magie d'une couleur aux reflets auburn et d'un nez refait.

« Attention, m'avertit Fatemeh, ne montre surtout pas ces photos à ton mari ! Ce serait *haram* (illicite) », me dit-elle.

« Entre femmes » : c'est vraiment le secret de cette réception. Ici, tout est permis loin du sexe opposé. Maryam, mariée à l'âge de 15 ans, m'explique que, selon la religion, elle et ses consœurs se voilent en présence d'autres hommes que leurs maris et fils. « Nous respectons les valeurs de la République islamique, et nous nous couvrons en public. Mais cela ne nous empêche pas de chercher à être sexy sous notre tchador », confie fièrement la milicienne, qui s'accommode sans problème de cette double apparence. Elle n'éprouve d'ailleurs aucun scrupule à réprimer les *bad hedjabi* (« mal voilées ») qui traînent dans les rues. « Si on les laissait faire, ça finirait comme aux États-Unis, où, à force de provoquer les hommes, les filles se font violer pour un oui, pour un non », glisse une des invitées, qui dit ne faire que rapporter ce qu'elle a entendu à la télévision d'État. Quand je lui demande si c'est parce qu'elle vit en République islamique d'Iran qu'elle porte un voile en public, elle me répond : « Ce n'est pas le régime que je crains, c'est Dieu ! » En tout cas, elle n'a pas peur d'effrayer Dieu lorsqu'elle se déhanche sur le tapis persan du salon.

Ces jeunes miliciennes islamistes sont décidément insaisissables. Créé au lendemain de la révolution, le Corps des *bassidji* (littéralement « mobilisés ») avait pour mission initiale de lutter contre les « ennemis » de l'extérieur (l'Irak à l'époque) et de l'intérieur (la bourgeoisie occidentalisée du nord de Téhéran). Pendant les années dites « modérées » de Khâtami (1997-2005), les quelque 8 millions de miliciens volontaires ont fini par être obligés d'adoucir leur discours. Ils ont été nombreux à déposer les armes pour s'investir dans des œuvres à caractère social : campagne de vaccination, aide aux sinistrés du séisme de Bam. Mais depuis l'élection d'Ahmadinejad, les entraînements au combat ont discrètement repris.

« Que Dieu nous en préserve, mais si les Américains nous attaquent, je suivrai, les yeux fermés, les ordres de l'ayatollah Khamenei, notre Guide religieux. Mon mari, lui, est prêt à défendre la patrie, quitte à mourir », glisse Fatemeh, qui dit savoir manier la kalachnikov à la perfection. Cette fan des Spice Girls avoue pourtant rêver de voyager au pays du Grand Satan américain. « On dit que là-bas, c'est plus facile de trouver du travail », se justifie-t-elle. En matière de shopping, ses références n'ont rien à envier à celles d'une New-Yorkaise. « J'adore le parfum d'imitation Gucci, les blue-jeans moulants, et les chaussures italiennes à bouts pointus », avoue-t-elle. Ah, dualité iranienne, quand tu nous tiens…

Soudain la voix du muezzin fait écho dans les montagnes. Et là, avec le plus grand naturel, Fatemeh et les plus jeunes interrompent leur danse effrénée pour se glisser sous leur tchador et entamer leur prière du soir en direction de La Mecque. J'en ai du mal à avaler le sandwich poulet cornichons que me tend Maryam, pour me faire patienter pendant ce temps. Pliée au sol, Fatemeh me lance un clin d'œil complice. « Dans dix minutes, on s'y remet », dit-elle, avant de prononcer un « *Allah Akbar* » en tournant la paume de ses mains vers le ciel.

NESCAFÉ

5.
Belles
damner un imam

Pintades persanes de mauvais poil

Les Iraniennes sont obsédées par leurs poils. Il faut dire que la nature ne les a pas gâtées. Autant la pilosité masculine peut attirer (eh oui, la moustache en fait craquer plus d'une), autant le poil féminin est à bannir. Sur le calendrier de leurs priorités du quotidien, la chasse au moindre petit signe pileux occupe une place prépondérante. Et pour ces perfectionnistes de la beauté, il faut tout épiler. Sans exception. Les sourcils, les jambes, les joues, les doigts de pied... Sans oublier les poils les plus intimes dont l'arrachage relève de la torture.

Quand vient votre tour sur la chaise de madame « Pince à épiler », la spécialiste du sourcil, préparez les grimaces et les mouchoirs en papier. Pour endormir votre confiance, elle vous allonge d'abord sur une chaise moelleuse. Et puis, lunettes sur le bout du nez, elle se met à scruter les moindres poils rebelles pour vous garantir une arcade sourcilière de rêve. Au gré de la mode, le sourcil persan se porte en accent circonflexe ou bien en demi-lune. Tantôt plus épais, tantôt fin comme un fil, il doit toujours être impeccable. Et pour celles qui veulent renforcer sa courbe et lui donner plus de caractère, il y a toujours l'option du tatouage miracle. Sous le foulard, disent les Iraniennes, ça donne plus de caractère au visage. Et ça met en valeur les yeux revolver de ces dames.

Pour celles que la nature a faites plus tapis persan que peau de pêche, un « nettoyage » complet implique impérativement d'autres parties du visage, encore plus sensibles. Pour attaquer les joues et la moustache, place au *band*, long fil double qu'on presse sur la peau et qui permet d'arracher le moindre poil par mouvements intermittents. Une technique traditionnelle au Moyen-Orient, qu'on retrouve dans les salons de beauté d'Amman et de Bagdad. Picotements, rougeurs et boursouflures garantis. Mieux vaut éviter les rendez-vous galants le même jour. Mais dès le lendemain, vous serez la plus belle pour aller danser.

Tips beauté

Nikadel
Une usine sur trois étages, qui reste pourtant la référence de Téhéran. Prenez rendez-vous à l'avance pour éviter les mauvaises surprises. Le jeudi après-midi, l'équivalent de notre samedi, Nikadel affiche complet. Normal, on y offre les coupes de cheveux et les balayages les plus branchés de la capitale – vous savez, ces mèches sacrées qui dépassent du foulard – et les Iraniennes se déplacent de province pour se faire relooker par Jila, la maquilleuse aux doigts de fée.

La Maison blanche
Ambiance plus familiale. On discute nucléaire et pèlerinage à Kerbala avec la patronne et les employées en se faisant affiner l'arcade sourcilière. On peut choisir sa coupe de cheveux en feuilletant un de ces nombreux catalogues rapportés d'Istanbul, de Dubaï ou de Paris par les clientes de passage.

Conseil indispensable aux novices en la matière. Dès que vous pénétrez dans un salon de beauté persan, laissez votre pudeur au placard, juste à côté du foulard. Dans cet univers intime et sans tabou où les femmes se mettent à nu (c'est le cas de le dire !), vos secrets sont leurs secrets, vos douleurs sont leurs douleurs. Ne pas s'étonner, donc, si, en pleine séance de manucure, vous vous surprenez à sursauter à des cris stridents dignes d'un mouton qu'on égorge. Ce n'est qu'une cliente de plus qui vient de passer sur la planche à épiler. À la voir sortir quelques minutes plus tard de la pièce du fond, les jambes arquées à la Lucky Luke, on devine qu'elle a opté pour le plumage intégral. C'est ce que préfèrent, en général, les Iraniennes. C'est plus *tamiz* (propre), disent-elles.

Quand vient votre tour, vous aurez beau dire qu'en France, cette formule est plutôt réservée à une certaine catégorie de femmes, disons à des femmes qui n'ont pas les mêmes mœurs, l'esthéticienne, spatule en main, ne voudra rien entendre. « *Bad ! Bad !* » (« mauvais », en anglais comme en farsi) se contentera-t-elle de répéter, tout en foudroyant du regard votre bas-ventre. Si vous avez le malheur de porter une alliance, elle ne vous laissera même pas le temps d'argumenter. « *Tamiz, kheyli behtaré !* » (« Propre, c'est mieux ! »), insistera-t-elle en plongeant sa spatule dans la cire chaude. Impossible de discuter. Inspirez profondément et dites-vous qu'après tout, des milliers d'Iraniennes survivent quotidiennement à cet ultime supplice.

Au moment des finitions, arrive la question piège. « Je vous fais un Hitler ? – Pardon ? Un quoi ? – Un Hitler ? » Décidemment, même chez l'esthéticienne, on ne peut pas échapper à la politique internationale. Téhéran est la seule capitale au monde à avoir osé organiser une conférence sur l'holocauste, en présence des plus grands négationnistes d'Occident. La remise en question des crimes commis par Hitler a provoqué une indignation internationale. Mais que diable vient faire le nom du dictateur nazi dans un salon de beauté persan ? Parce que jusqu'à maintenant, même si on souffre beaucoup au salon de beauté, il n'y a eu que crime contre la pilosité, une extermination à l'arme de destruction massive certes, mais pas un crime contre l'humanité. « Hitler, comme la moustache d'Hitler ! » précise alors notre bourreau. Ah, c'est donc de cette petite bande frontale que certaines Iraniennes préfèrent garder qu'il s'agit !

Reines de Saba

Premier bâtiment à droite, juste après le fleuriste, au milieu de la rue Maryam. Pour dénicher le plus grand salon de beauté de Téhéran, dans le dédale des ruelles aux numéros désordonnés, on doit presque jouer au petit Poucet. Vue de l'extérieur, la superbe villa blanche à trois étages, protégée par un grand mur en crépi, n'a rien d'un centre d'esthétique. Normal. À Téhéran, ces lieux exclusivement réservés au « second sexe » sont scrupuleusement tenus à l'écart du regard des hommes. Mais pour une fois, la ségrégation a ses avantages.

Une fois passé le porche de chez Nikadel, LE temple de la beauté iranienne, on se met aussitôt à nager dans un aquarium de luxe, calme et volupté. En moins d'une demi-seconde, foulards et manteaux disparaissent sur un cintre. À moitié nue, c'est-à-dire sans le voile, on se laisse porter par le dernier tube de la techno pop iranienne venue tout droit de Teherangeles (contraction de Teheran et de Los Angeles, où vit le plus gros de la diaspora iranienne), avant de s'enfoncer, au rez-de-chaussée transformé en salle d'attente, dans l'un des canapés aux couleurs chatoyantes.

Les soins n'ont pas encore commencé qu'on se sent déjà plus légère. On se surprend même à sourire, sans raison apparente. Peut-être, tout simplement, parce qu'ici, derrière les murs de ce cocon magique, il flotte un étrange parfum de liberté.

À Téhéran, les nombreux *arâyechgâh* – littéralement « salons de maquillage » – offrent une palette illimitée de soins. Les Iraniennes, habituées à se retenir dans la sphère publique, aiment en abuser à volonté, au risque de se transformer en vamps ! Décoloration à la Madonna, manucure sur faux ongles de tigresse recouverts d'un vernis rouge carmin, tatouage rose pour renforcer l'effet lèvres pulpeuses. Place à tous les fantasmes. Les Iraniennes sont indécemment coquettes. Toute Téhéranaise qui se respecte passe une à deux après-midi par semaine chez l'esthéticienne. La beauté est sa deuxième religion, qu'elle pratique avec fanatisme. À Téhéran, on compte autant de salons de beauté que de mosquées, voire plus. Nichés dans des appartements cossus, perchés dans des gratte-ciels, improvisés dans des maisons privées, les *arâyechgâh* ont envahi la ville. En surface et en profondeur.

Prenez Fatima, jeune brunette branchée. Il y a trois ans, cette Iranienne francophone, fan de mode aux goûts très parisiens, décida de transformer la salle à manger familiale en salon de coiffure semi-clandestin où défilent, à la pelle, copines, cousines, voisines et relations lointaines. En attendant son tour, on y sirote du thé, en regardant Fashion TV sur la parabole interdite. Et en colportant les derniers potins sur l'entourage (un sport local dans lequel les Iraniennes excellent) ! « Vous avez vu comme elle a grossi ! » « Les mèches blondes, ça ne lui va franchement pas ! » « Elle devrait s'épiler la moustache ! » Dès que la porte du fond se met à claquer, la conversation s'arrête net. La personne en question vient de finir sa séance d'UV dans la chambre à coucher de Fatima, improvisée en solarium. Le visage ambré, elle arbore un grand sourire de satisfaction. « Ça te va si bien, ma chérie ! » s'exclament, en chœur, les as du commérage.

De tous les salons où l'on épile, les cinq étoiles reviennent, de loin, à Nikadel. Mieux vaut réserver à l'avance. La réputation de cet antre du luxe est telle que les clientes font parfois le déplacement de province, ne serait-ce que pour se faire nettoyer l'arcade sourcilière. Ici, les esthéticiennes aux doigts de fée ont le don de vous transformer une cliente au visage fade, au cheveu fatigué et aux mains sèches en canons de beauté persane.

Au premier étage, dans un espace ouvert et aéré, la serviette enroulée sur la tête, on se laisse glisser d'une séance de pédicure, côté cheminée, à un brushing, côté fenêtre. Les ongles et les cheveux, c'est le grand dada des Iraniennes. Il faut pouvoir, en soirée, faire onduler ses mains parfaitement vernies, outils indispensables des danses persanes où tout se joue de l'épaule au bout des doigts. Quant aux cheveux – pourtant cachés sous le foulard –, ils occupent une place étonnamment importante dans le planning beauté de ces dames. Tout l'art consistant justement à travailler la frange et les mèches décolorées qui s'évaderont du voile. Subtilité persano-islamique !

Entre deux soins, petit détour par la cuisine américaine, au centre : on peut y déguster, accoudée au bar, la soupe bio du jour, un café français, ou un bon thé iranien. Comble de l'élégance : un majestueux piano en bois, recouvert de chandeliers, trône en plein milieu de cet espace où le moindre détail a été finement étudié. Un étage de plus et vous atterrissez entre les mains magiques de Jila, blue-jeans moulant et décolleté pigeonnant. La réputation de cette maquilleuse de choc aux yeux en forme d'amande n'est plus à faire. Depuis plus de dix ans, Jila fait danser ses pinceaux sur les minois des plus grandes stars du cinéma iranien et des jeunes mariées de la jet-set de la ville. Et pour celles qui ne seraient pas convaincues, il suffit de juger sur pièces. Les murs de sa petite niche, coincée sous les toits de l'élégante villa, sont tapissés de photos de ses heureuses victimes. Ici, une belle brune, la frange coupée à la Cléopâtre, esquisse un joli sourire que vient renforcer le trait parfait d'un rouge à lèvres. Là, une mariée tout de blanc vêtue suce sensuellement son index en plissant ses yeux cernés de rimmel. Pose coquine sur un lit de roses rouges. Clin d'œil aguicheur derrière des feuilles de bambou. Un brin kitsch, mais sacrément bien exécuté.

Grâce aux *arâyechgâh*, les Chéhérazades peuvent régner sur les nuits téhéranaises.

Impérialisme et kilos superflus, même combat : mort à la cellulite

Ce n'est pas une illusion d'optique. Chaque matin, vers 6 heures, tel un rituel bien programmé, de petits chapiteaux mouvants envahissent les allées du parc Laleh, littéralement le parc de la Tulipe, au cœur de Téhéran. Ils évoluent en cercles concentriques, sautillent le long des larges allées bordées de fleurs, s'arrêtent parfois près d'un arbre, avant de redémarrer de plus belle. Ce sont les joggeuses de l'aube en voiles et baskets, subversives Iraniennes qui profitent des derniers ronflements de la capitale pour lancer, avant le réveil de ses quelque 12 millions d'habitants, un triple défi dans l'ordre à la pollution, aux puritains de l'islam et à la cellulite. « D'abord le jogging puis les assouplissements ! » lance Sepideh l'entraîneuse, le bandana plaqué sur les cheveux, à la cantonade. « *Yek ! Do ! Sé !* » (« Un ! Deux ! Trois ! ») En moins de deux, les copines du jour, engoncées dans leurs vestes longues, s'exécutent. Quand, sous le coup de la vitesse, le foulard glisse sur les épaules, une main le redresse automatiquement. Véritable exercice d'acrobate. Entre deux pauses, on parle équipements sportifs, produits diététiques et régimes à la mode.

Mieux vaut se lever aux aurores pour éviter les pots d'échappement des vieilles Peykan. En plus de la pollution, il y a, comme d'habitude, les radicaux pour empoisonner la vie des Iraniennes. Ils considèrent que l'exercice physique est trop provocateur, trop révélateur du corps, trop sexy, trop tout. C'est sûr qu'ils s'évanouiraient s'ils assistaient à un cours de yoga ou de Pilates.

Mais il en faut plus pour freiner les Iraniennes. Il arrive même de croiser, à l'ombre d'une ruelle, des « tchadors volants ». Le week-end, quand la capitale se vide de ses millions de voitures, certaines jeunes poussent l'audace jusqu'à grimper sur des patins à roulettes et à faire des zig zags sous la barbe des mollahs. Vision surréaliste. Encore un peu et on croirait qu'elles vont s'envoler.

C'est aussi, tout simplement, par souci d'esthétique que les Iraniennes font de petits bonds dans les parcs à des heures bien matinales. Rester svelte sous le voile, garder la ligne comme les stars de cinéma qui envahissent les écrans des chaînes satellitaires ! La mode iranienne étant désormais aux *mantô* cintrés, finie la technique du tchador « cache-rondeurs ».

Les vestes trois-quarts, en lin, en jean ou en stretch, qui ornent les boutiques de la place Hafté Tir sont tellement « seconde peau » qu'il faut vraiment que la première peau soit affinée. Fini le bourrelet à la taille, pourtant cultivé depuis le berceau par les plats de riz aux grenades et les *chirini* (sucreries). Pour être *mode* (c'est le terme qu'on utilise en persan), il va falloir tonifier tout ça !

« Depuis la révolution, je portais des manteaux amples qui cachaient mes formes. Je n'avais donc plus de raison de garder la ligne, alors je me suis laissée aller. Et en vingt-cinq ans, j'ai pris 8 kilos », soupire Negar, une mère de famille croisée au rayon « produits allégés » d'une supérette locale. « Aujourd'hui, pour pouvoir mettre un manteau dans l'air du temps, je dois travailler dur pour perdre du ventre », confie-t-elle. Flairant un nouveau marché en pleine expansion, les marques iraniennes se sont d'ailleurs taillé une belle part dans la distribution de produits *light* : du Zam Zam (le Coca-Cola local) au yaourt frais, tout se consomme sans sucre et sans matière grasse. Tous les mois, une avenue de Téhéran inaugure son nouveau magasin de sport, où des experts – formés au Canada ou à Dubaï – vous vantent les bienfaits des vélos électriques qui aident à muscler les jambes et des vibromasseurs qui attaquent soi-disant la graisse en profondeur. Parce que contrairement à la New-Yorkaise, la Téhéranaise aimerait avoir un corps de rêve sans trop souffrir sur un tapis de course. Une radio locale, baptisée « La Santé » (*Salâmat*), dispense également des cours de gym à distance, accompagnés de conseils pratiques relatifs à l'exercice physique. Et le *must-go*, ce sont ces clubs de sport publics et privés, qui poussent comme des champignons à travers la capitale, et qui offrent toute une gamme de cours allant de l'aérobic au

Les clubs de sport tendance

Farmanieh

Un de ces incroyables clubs de fitness de Téhéran qu'on aimerait bien voir exporter à Paris. Spacieux, d'une propreté exemplaire – interdiction d'entrer au vestiaire avec ses chaussures –, on vient y brûler les graisses qu'on accumule sous le voile sur une des multiples machines *made in USA*, au rythme du dernier tube de Chakira. Afsaneh, une entraîneuse tout sourire en combinaison stretch, se fera un plaisir de vous concocter un parcours du combattant. Récompense à la clef, les massages de Farmanieh font partie des meilleurs de Téhéran.

Zarafchan

Porte design et garde à l'entrée. On a vraiment l'impression d'entrer dans un de ces endroits très *select*, où il fait bon se réfugier et venir se faire dorloter par une équipe jeune et sympathique. Des machines à la piscine, en passant par la petite musique douce à l'accueil, Zarafchan a tout pour plaire. Avec en prime le hammam à l'eucalyptus. Idéal pour se déboucher les sinus en période de pic de pollution.

(...)

yoga, en passant par l'aquagym. Avec une contrainte : les horaires d'ouverture sont séparés pour les hommes et les femmes. Impossible donc d'aller faire des brasses avec son mari. En général, l'après-midi et le soir sont réservés à la clientèle masculine. Et le matin, place aux femmes. Comme si l'Iranienne n'était pas censée travailler !

L'horaire est contraignant, mais, parole d'habituée, le gymnasium iranien vaut sacrément le détour. À peine arrivée, on se sent portée par le ballet des justaucorps aux couleurs acidulées au rythme du dernier tube d'Arach, jeune star de la pop iranienne de Californie.

Après quelques heures de bouchons dans la grisaille téhéranaise, c'est le décalage total. Dans la catégorie haut de gamme, le club Farmanieh, sur les hauteurs de Téhéran, n'a franchement rien à envier à nos salles françaises, où l'on s'entasse comme des sardines, et à leurs piscines mouchoirs de poche. Il est spacieux, aéré et d'une propreté exemplaire, relevant presque de l'obsession. À l'entrée, une charmante hôtesse, t-shirt moulant et décolleté plongeant, collier en or et brushing impeccable, vous tend des sandales en plastique en échange de vos mocassins poussiéreux. Le carrelage est reluisant. Des casiers en bois verni, où vous attendent cintres et serviettes, se dégage une agréable odeur de Soupline. Sur son agenda méticuleux, l'hôtesse se propose de vous réserver, à l'avance, la séance massage – à ne pas rater ! – qui viendra soigner les courbatures du cours d'aérobic. Attention, les chaussures de sport doivent être d'un blanc immaculé pour pouvoir franchir la porte de la salle principale. Sinon, on se chargera de vous envoyer sèchement les rincer aux toilettes.

À voir les équipements, tous plus modernes les uns que les autres – et frappés de la mention *made in USA* –, on en oublie vite que l'Iran est sous le coup d'un embargo américain ; et à voir la taille des équipements, on se dit que tout ça n'a pas passé la frontière à dos de mule. Quant aux éléphants, ça fait longtemps qu'on n'en a pas vu par ici. Avec le temps, et une bonne dose de débrouille, les Iraniens ont appris à passer par Dubaï, de l'autre côté du golfe Persique, pour se procurer toutes sortes de produits. Afsaneh, l'entraîneuse au corps parfaitement sculpté, est à la disposition des clientes pour leur concocter un des plus redoutables, mais efficaces, parcours sportifs. Abdos, fessiers, cuisses, bras, rien n'est laissé de côté. Un conseil, cependant : évitez d'aller au club entre copines. Vous n'y gagnerez que des kilos supplémentaires.

Si certaines Iraniennes excellent dans un sport, c'est bien celui du bavardage. On croise toujours les mêmes, par grappes de cinq ou six, à la grande cafétéria centrale, autour d'un gros sandwich tartiné de mayonnaise. C'est leur point de chute après quelques minutes d'exercice physique. « *Akheych !!* » les entend-on soupirer. Le mot est intraduisible en français, mais il fait partie des onomatopées persanes qu'on prononce après un effort physique ou intellectuel. Une fois l'encas ultracalorique englouti, les voilà qui s'enfoncent dans les vapeurs du hammam, en sous-sol, en espérant faire fondre leurs graisses plus vite. Histoire de se donner bonne conscience. Pas de chance, il en faut plus pour chasser la cellulite récalcitrante. Dans la catégorie « fonte rapide », c'est en fait le rimmel noir dégoulinant sur les joues qui l'emporte. Eh oui, les Iraniennes, éternelles minaudières dans l'âme, se peinturlurent le visage, même avant d'aller courir.

(...)

Sadaf
Attention, interdit d'utiliser son portable. Interdit d'aller aux toilettes avec ses chaussures de sport. Ne pas utiliser la même serviette de bain pour la piscine et le hammam. Bon, c'est vrai, les employées de ce club sont un peu trop policières. Mais Sadaf vaut le détour, ne serait-ce que pour sa piscine en plein air, perchée en hauteur, et donc protégée des regards masculins. Dépaysement total, surtout en hiver, quand il fait bon y nager – l'eau est chauffée – en jonglant avec les flocons de neige… (Oui, il neige l'hiver à Téhéran.)

CO_2

À vos masques ! Ces dernières années, le petit cache-poussière qui couvre le nez et la bouche s'est imposé comme un second uniforme, après le *hedjab*. À moins de chérir le look « infirmière de bloc opératoire », il n'est pas très sexy quand on cherche à soigner son allure. Mais bien utile pour filtrer – ou plutôt espérer filtrer – la crasse atmosphérique qui flotte sur Téhéran, une des villes les plus polluées du monde. Dans cette mégalopole de plus de 12 millions d'habitants (contre 3 millions il y a quarante ans !), les vêtements blancs ont une durée de vie de quinze minutes maximum. Alors, imaginez ce qui se glisse au quotidien dans vos poumons. Asthmatiques, prenez garde. En période de pic de pollution, les pires maux ressurgissent : nausées, migraines de trois jours, problèmes de concentration, nervosité aiguë. Mieux vaut s'enfermer chez soi à double tour si on ne veut pas atterrir aux urgences de l'hôpital du coin. Si, si, ça arrive plus souvent qu'on n'imagine, et même si les infirmières sont très sympathiques, elles ont cette fâcheuse tendance à vouloir guérir tous les bobos de la terre en vous mettant sous perfusion ou en vous enfonçant une grosse seringue dans la fesse. Aïe... De quoi regretter les bons vieux suppositoires français, qu'on a pourtant toutes détestés dans notre enfance.

Et là, on se met à maudire les Peykan, immortelles voitures rectangulaires bonnes pour la casse, mais qui continuent à envahir les rues de Téhéran, en crachant du gaz noir à longueur de journée. Elles ont bon dos. Car le problème est, en fait, beaucoup plus profond que la survie absurde de ces antiques bécanes qui ont plus de vingt ans d'âge et qui ne sont même plus fabriquées... Il réside d'abord dans la géographie même de Téhéran. Perchée à quelque 1 500 mètres d'altitude et coincée dans une cuvette, au milieu des montagnes, la capitale étouffe sous un nuage de fumées toxiques dès que le ciel est trop encombré, ce qui oblige parfois les écoles à fermer pendant une semaine ou deux. À ce défaut de naissance s'ajoute l'absence de planification pour réguler l'urbanisation galopante, la construction sauvage de gratte-ciels, le manque de voies périphériques pour désengorger la ville... Si l'explosion du parc automobile – estimé à 4 millions de voitures – fait la joie des concessionnaires français qui y ont décelé un marché juteux, elle donne plutôt envie de pleurer à toutes celles qui se payent des maux de tête incurables. En plus, avec une essence qui coûte, au pays de l'or noir, seulement 8 centimes d'euro le litre, difficile de dissuader les Iraniens de prendre le volant.

Et la ville reste très mal desservie par le métro, inauguré il y a plus de quatre ans. La tragédie urbaine est telle que même le maire adjoint de la capitale n'ose plus cacher son désespoir. « Vivre à Téhéran, c'est participer à un suicide collectif », déplorait récemment Mohammad Hadi Heydarzadeh dans la presse locale. En révélant des chiffres redoutables : 10 000 morts par an à cause, selon lui, de maladies liées à la pollution ! Ces statistiques sont bien sûr invérifiables – et pourraient s'avérer complètement erronnées dans un pays où l'exagération n'a pas de limites – mais elles donnent le ton de la gravité de la situation…

Cœur lumineux et corps léger

Le piège, quand on habite à Téhéran, c'est de se laisser tenter par toutes ces douceurs persanes, garnies de pistaches, aromatisées à l'eau de rose, et tapissées de crème. Terriblement difficile de résister, même quand on sait que ces sucres sont les plus difficiles à éliminer. Pour retrouver la ligne, les Iraniennes n'ont qu'un nom à la bouche : le docteur Rowchandel. À 40 ans, ce diététicien tout sourire porte bien son nom : « cœur lumineux » en persan. Pour décrocher un rendez-vous, mieux vaut avoir le cœur serein et l'âme patiente. À toute heure de la journée, la salle d'attente de l'institut Taamasrar, qu'il dirige depuis douze ans, est remplie à craquer. Du matin au soir, les consultations s'enchaînent à un rythme quasi industriel : 10 minutes « top chrono » par patiente. En foulard coloré, en voile sombre, elles débarquent des quatre coins du pays afin de se faire prescrire la recette miracle pour perdre du poids.

« J'en suis à ma troisième séance et j'ai déjà fondu de 3 kilos », sourit fièrement Fatemeh Sadat Tassaloti, une enseignante en droit islamique. Cette fois-ci, cette Iranienne rondelette de 42 ans a convaincu sa mère et sa meilleure amie de venir, elles aussi, tenter l'expérience. On aurait tendance à se demander ce que ces trois femmes, le minois coincé

Santé !

Les sirops de Tavoso
Tavoso, c'est un peu le Fauchon de Téhéran. On y trouve les meilleurs pistaches, noix, amandes grillées, abricots séchés et marmelades de la capitale. Et surtout, tous ces sirops miracles qui viennent guérir le moindre bobo : à la menthe pour les aigreurs d'estomac, à la fleur d'oranger pour le stress, à l'eau de rose pour adoucir la peau du visage.

Jus de fruits frais
Un des petits plaisirs de Téhéran. Entre deux rendez-vous, on peut attraper au vol son cocktail vitaminé de la journée dans l'une des nombreuses échoppes vendant des jus de fruits frais. Carotte, melon, orange, pomme, pastèque, citron… On en trouve à gogo sur les avenues Villa, Vali Asr et Enghelab. Et pas de souci, côté hygiène, il est très rare de finir avec des crampes d'estomac. À moins d'être sérieusement sensible de ce côté-là.

entre les quatre plis de leur tchador qui tombe jusqu'aux pieds, attendent d'un régime. Après tout, si le voile a un avantage, c'est bien celui de cacher les rondeurs. « Maigrir, c'est bon pour la santé. Et je ne vois pas pourquoi cela devrait seulement être réservé aux Occidentales ! » revendique sans complexe notre interlocutrice, avant de se glisser, son tour venu, dans le bureau du docteur Rowchandel.

Ici, pas question de parler de substituts protéinés, de pilules minceur et autres poudres de perlimpinpin. « Du pur charlatanisme ! » s'emporte Amir Reza Rowchandel auprès de toutes celles qui osent y songer. « Les régimes stakhanovistes, bannissant sévèrement beurre, confiture et féculents, ce n'est pas non plus ma tasse de thé », prévient le diététicien, fin comme un pic, portant lunettes et élégante cravate à l'occidentale. Sa formule magique ? « Réapprendre à manger ! »

Bon, il est vrai que les ragoûts de poulet en sauce et le riz à l'aneth à tous les repas, ça ne favorise pas la perte de poids. Mais pour le docteur « cœur lumineux », ce n'est pas le fond du problème. Sa bête noire : le Zam Zam, le soda national et ses 525 calories par canette, qu'on sert à tous les repas, et les fast-food d'imitation américaine. Bref, la junk food – à laquelle même les mollahs pourfendeurs de « l'invasion culturelle occidentale » n'ont pas su résister ! Comble du paradoxe : c'est par la Fondation religieuse du grand ayatollah Tabassi que le *strudel* huileux au jambon de poulet vient d'être lancé sur le marché iranien. Soumises au régime forcé pendant la période de pénurie liée à la guerre Iran-Irak (1980-88), les Iraniennes sont aujourd'hui gagas de Nutella, de chips et de bonbons artificiels, apparus sur le marché il y a à peine dix ans. « Remède idéal pour se remettre d'une dispute avec mon Jules », clame une de mes amies. De quoi régaler sa cellulite abdominale.

À l'institut Taamasrar, maigrir signifie revenir à une alimentation saine et authentique : remplacer le beurre par le bon fromage de brebis de Tabriz, dans le nord du pays ; troquer le soda contre un jus de grenade ou un verre de *dough*, délicieux quoique bizarre breuvage à base de lait caillé, d'eau pétillante et de menthe ; grignoter une orange à la place d'un *bakhlava*. Et en guise d'édulcorant, faire fondre un morceau de *nabât*, sucre candi naturel, dans son thé. « C'est comme ça que les Iraniens mangeaient il y a trente ans. Mais ils ont oublié leurs bonnes habitudes », déplore le diététicien, obsédé par la préservation du patrimoine culinaire persan. Seule véritable contrainte imposée à ses clientes : une marche de vingt minutes par jour.

À contempler le sourire radieux d'Azita, une mère au foyer de 33 ans, et fidèle patiente depuis plus d'un an, la méthode marche à merveille. « Je faisais 82 kilos. J'en ai perdu 9 et j'espère en perdre encore 6 », dit-elle. Dans certains bureaux, on se repasse le numéro de téléphone du docteur miracle comme on s'échangerait les dernières cassettes de Gougouch. En plus, la consultation est tout à fait raisonnable pour un budget moyen iranien : 4 000 tomans, soit moins de 4 euros.

« Quand j'ai lancé l'Institut, il y a douze ans, on me riait au nez, en me disant : "Vous voulez qu'on vous paye pour maigrir ? Et quoi encore ?" se souvient Rowchandel. Les huit premiers mois, j'ai tourné avec une clientèle de 50 personnes. »

Le bouche à oreille aidant, le cabinet du docteur « cœur lumineux » s'est vite mis à crouler sous les demandes. « Les patients faisaient la queue jusqu'à trois heures du matin. On devait les réveiller quand venait leur tour ! » raconte-t-il. Les temps changent. Les goûts aussi. Fini le règne de l'opulente Iranienne à la poitrine et aux hanches généreuses, symbole de bonne santé, de richesse et de beauté, si bien illustré dans les peintures de l'époque Qadjar (1786-1925). Fini, les filles minces et graciles qu'on gave comme des oies périgourdines en espérant les marier plus facilement. « Notre société revendique une culture de l'embellissement », sourit le docteur Rowchandel. Que les dodues se le tiennent pour dit. Vous reprendrez bien un peu de Zam Zam *light*.

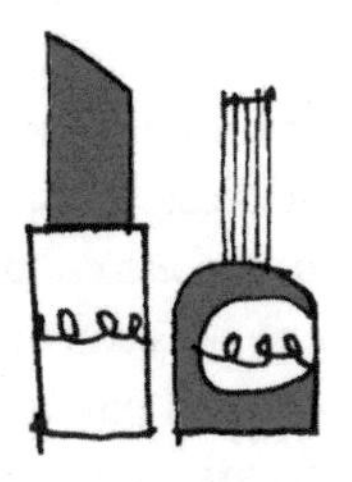

L'option végétarienne

Même si le phénomène n'a pas encore atteint l'ampleur de New York et de Paris, de plus en plus de Téhéranaises se mettent à bouder le traditionnel *tchelow kabab* à la viande de mouton en se décrétant végétarienne. Avis, donc, aux amatrices, la petite boutique Govinda's, parfumée à l'encens d'Inde, et coincée derrière l'avenue Pasdaran, dans le nord de Téhéran, offre une incroyable sélection de saucisses de soja, de fromage tofu, de miel et d'huile d'olive faits maison et de pains aux céréales. On peut également y commander des gâteaux sans œufs et s'inscrire aux cours de cuisine dispensés, quelques mètres plus bas, au siège de l'association végétarienne, qui fait également office de petite cantine conviviale pour les habitués. Azar Habibzadeh, une jeune vendeuse en foulard noir, se fera un plaisir de vous conseiller avec son sourire zen, sur fond de musique méditative. Notre coup de cœur : la tisane Govinda's aux huit épices, vendue sur le comptoir. Une cuillérée de poudre pour quatre tasses de thé, à faire bouillir dans de l'eau chaude, juste après le déjeuner, et la magie du gingembre, des pétales de rose, du safran et de la cannelle vous redonnera suffisamment d'énergie pour finir votre journée.

Les pouvoirs magiques du jardin persan

En Iran, on suce des grenades…

En Iran, tout le monde a des grenades. Ce n'est pas parce que le pays est accusé de terrorisme qu'il faut vous affoler. Oui, les Iraniens adorent les grenades. N'allez pas pour autant convoquer une réunion extraordinaire du Conseil de sécurité de l'ONU. Tout va bien. Vous aussi, vous allez adorer. Les grenades ont la cote pour leurs valeurs explosives et totalement pacifistes. Les fruits rouges bourrés de petits pépins ont, paraît-il, des qualités infinies qui en font le fruit préféré des Persanes. Une chose est sûre, c'est qu'il apprend la vertu de la patience. Avez-vous déjà essayé de manger une grenade ? D'abord, il faut couper la peau épaisse avec un couteau. Vous avez de la chance si vous ne vous êtes pas coupé un doigt. Maintenant, vous avez devant vous des milliers de pépins, qu'il vous faudra suçoter un à un pour extraire la saveur juteuse. Une heure et demie, montre en main, pour manger une grenade entière. De quoi devenir zen. Ensuite, on peut en faire du vin, une piquette pas désagréable qui ressemble à du beaujolais. Et puis, quand même, il est le « fruit du paradis ». Pas sûre de savoir ce que ça veut dire, mais ça vous pose une réputation de fruit. Ce n'est pas de la banane qu'on dirait ça. Et enfin, la grenade aurait des vertus rajeunissantes.

Alors, allez-y, qu'est-ce que vous attendez, dégoupillez !

… on rit jaune… safran…

Les promesses de bonheur du potager persan ne s'arrêtent pas à la grenade. Ici, c'est merveilleux, le Prozac pousse dans les fleurs. Euh, pas exactement, c'est juste que le safran, qui est en fait le stigmate des crocus violets, causerait des fous rires incontrôlables quand il est consommé en trop grande quantité. Il paraît aussi que le safran aide à atteindre d'autres types de spasmes, si vous voyez ce que je veux dire… De par sa rareté, le safran, qu'on récolte dans les plaines iraniennes qui longent l'Afghanistan, est l'épice la plus chère du monde. Sa valeur dépasse, de loin, celle de la truffe ou du caviar. Pour obtenir 1 kilo de safran, il faut cueillir minutieusement à la main 150 000 fleurs. Mais le bonheur n'a pas de prix. Vous reprendrez bien un peu de crocus !

... on cultive son teint de rose...

Ce panorama botanique ne serait pas complet si on ne parlait pas de la rose. LA fleur officielle de l'Iran. La reine des roses. La rose anglaise, joufflue, dodue et sans odeur, peut aller se rhabiller. Son illustre cousine persane est délicatesse faite fleur. Peu de pétales qui s'ouvrent en corolle et une senteur digne du paradis. La fierté de la nation. Du coup, l'eau de rose est auréolée de milliers de vertus.

Elle serait responsable du teint frais des Téhéranaises, protégerait contre la pollution et raffermirait la peau. Ce n'est sans doute pas tout à fait faux, pas tout à fait vrai non plus. Mais ce n'est pas le propos. Le propos, c'est que lorsqu'elle arrive fraîchement cueillie dans le Grand Bazar, ça sent tellement bon qu'on en aurait un orgasme olfactif.

En voici une recette « maison », qu'on vous a récoltée :

– Placer les pétales de rose dans un récipient d'eau de source
– Recouvrir d'un fil alimentaire
– Laisser macérer pendant une petite semaine
– Filtrer le liquide (un simple filtre à café suffit)
– Votre lotion magique est prête : il ne vous reste plus qu'à la verser dans un flacon.

... et on rejoint le paradis (artificiel)

Et la plante la plus magique de tout le potager persan, j'ai nommé le pavot. Cultivé en Afghanistan, il transite largement par l'Iran. L'opium fait partie de la culture du pays, il va avec le mysticisme, le soufisme. Faites passer la pipe.

Le bistouri leur monte au nez

Petit, droit, légèrement en trompette. Peut-on parler d'un nez parfaitement iranien, tout comme il existe un nez purement grec ? Détrompez-vous. Les Iraniennes frôlent, voire détiennent, les records mondiaux en matière de rhinoplastie. Il suffit d'une petite bosse nasale de rien du tout pour qu'elles soient prêtes à passer sur le billard. « Je trouvais mon nez trop long, et quand je mettais mon foulard, il prenait des proportions démesurées ! » pouffe Nina, une amie iranienne, qui reconnaît avoir cédé, il y a deux ans, à la tentation du bistouri. « Tu sais, cherche-t-elle à se justifier, le visage est la seule partie du corps qu'on peut montrer. Alors, on en prend plus soin. On le maquille, on le bichonne, on corrige les imperfections qui sont renforcées par le port du voile. » Il faut dire que la Persane a un nez, disons, avec de la personnalité. Un pic, un cap, un roc, parfois même une péninsule. Et puis, à force de regarder le satellite, interdit, mais officieusement toléré, ça donne de nouvelles envies. « Quand tu vois le nez de Sharon Stone et d'Isabelle Adjani, tu te dis que tu aimerais bien avoir le même ! » sourit Nina.

À compter le nombre de sparadraps collés en plein milieu des museaux qu'on croise chaque jour dans les rues, la chirurgie esthétique se pratique à la chaîne. Et relève du phénomène de société. À tel point que certaines Iraniennes se font même plâtrer le nez sans se faire opérer pour prétendre à un certain statut social ! Mais coquetterie oblige, rares sont celles qui dévoilent, comme Nina, les motifs réels de leur intervention chirurgicale.

« Oh, vous savez, une mauvaise chute dans les escaliers. Et vous ? » « Moi, c'est un accident de voiture ! » « Ma pauvre chérie ! Moi-même, je n'ai pas le choix. Mon fils m'a jeté ses jouets à la figure ! »... Autant de raisons abracadabrantes entendues dans la salle d'attente du docteur Siavach Safavi, l'un des chirurgiens les plus renommés sur la place. « C'est une véritable épidémie ! » reconnaît-il. Du matin au soir, les clientes défilent dans son bureau, décoré de croquis représentant différents styles de nez, parmi lesquels elles pourront choisir leur favori. Il lui arrive parfois de pratiquer dix interventions chirurgicales par jour. « En vingt ans de métier, j'ai refait 5 000 nez », remarque le docteur aux cheveux poivre et sel. Avant la révolution islamique, l'Iran comptait une vingtaine de chirurgiens esthétiques. Aujourd'hui, ils sont plus de 150 spécialistes à se partager un marché en pleine expansion ! Mais attention aux milliers de charlatans issus d'autres spécialités, les ORL par exemple, qui ont envahi le marché. Pour arrondir leurs fins de mois, ils n'hésitent pas à vous ratiboiser le nez dix fois, vingt fois s'il le faut, au risque de l'enlaidir encore plus. Avant de se lancer dans un « relookage », il est donc préférable de se renseigner. Avec le temps, les Iraniennes sont devenues des expertes en la matière. Les yeux écarquillés comme les phares d'une voiture de course, elles chassent le modèle du nez parfait comme elles vont faire du lèche-vitrine. Et peuvent identifier la main de son « couturier » à 100 mètres de distance. Au top de la liste figure, bien sûr, le docteur Siavoch Safavi, gentleman parfaitement anglophone, dont l'expérience n'est plus à prouver. Et dans la catégorie des nouveaux talents, le docteur Amir Choukouï, formé en France, s'est fait récemment remarquer en se spécialisant dans la chirurgie au laser.

Dans sa clinique privée aux tons pastel et tamisée par une douce lumière artificielle, on pratique les dernières techniques de Botox et de l'épilation miracle de poils encombrants. Inspirées par leurs voisines du Liban, les Iraniennes sont récemment devenues des adeptes de la poitrine gonflée, des lèvres pulpées et de la liposuccion. Mais la priorité reste nasale. « Elles sont toutes prêtes à se serrer la ceinture pour se refaire le nez », commente Amir Choukouï, dans son costume cravate tiré à quatre épingles. L'opération n'est pas donnée, au moins 1 000 euros (quatre fois le salaire mensuel moyen), et peut rapidement doubler en cas de grosse intervention chirurgicale. Mais la beauté n'a pas de prix. « Je peux vous citer le cas de l'une de mes dernières clientes : une femme de ménage, en tchador noir, originaire du sud de Téhéran. Pendant des années, cette mère de cinq enfants a fait des économies pour venir se faire opérer, à l'insu de son mari. Aujourd'hui, elle dit qu'elle ne s'est jamais sentie aussi bien dans sa peau », raconte le jeune docteur. Le virus est tel que les hommes, aussi, ont succombé à la tentation d'un joli minois. Parfois, ils n'ont pas le choix : il arrive qu'une fiancée conditionne son mariage au passage préalable de son futur époux sur le billard du chirurgien esthétique. La réputation de Téhéran, capitale du nez refait, a même dépassé les frontières de l'Iran. Chaque été, les spécialistes iraniens de la haute couture nasale voient défiler des clientes venues de Dubaï, du Koweït, ou encore des États-Unis. Au moment des vacances, période idéale pour se faire opérer, les listes d'attente ne cessent de s'allonger.

Si Cyrano avait été une femme à Téhéran, ça lui aurait évité bien des soucis.

6.

Batifolages sous surveillance

Le sexe,
tabou ou obsession ?

Je suis arrivée en Iran en me couvrant d'un voile de chasteté. J'en repartirai avec une dizaine de demandes en mariage – dont certaines prononcées par des mollahs –, une vingtaine de mains aux fesses et une multitude de propositions malhonnêtes avec lesquelles les pervers du centre ville ne cessent de polluer les oreilles des passantes.

Le sexe, un tabou en République islamique ? Officiellement, et selon les fatwas des grands ayatollahs, les relations avant le mariage sont formellement proscrites. Les plus fanatiques préconisent même de ne pas regarder un homme dans les yeux. D'autres vont jusqu'à suggérer aux médecins d'ausculter leurs patientes à travers l'image de leur corps projeté dans un miroir. L'amour est soumis à un non-dit permanent qui force théoriquement les jeunes époux à se retrouver tout nus – c'est le cas de le dire ! – lors de la nuit de noces. Et pourtant, le sexe et la nécessité du plaisir sexuel se trouvent paradoxalement au cœur d'un débat permanent, des sphères feutrées des assemblées féminines aux cercles religieux des écoles coraniques.

Entre copines, l'Iranienne déballera facilement son sac en vous détaillant fièrement les exploits de ses derniers ébats. Ou bien en vous racontant qu'elle vient d'entamer une procédure de divorce contre son mari… parce qu'il est impuissant, une raison suffisante pour exiger la séparation au regard de la loi iranienne. C'est qu'à Téhéran, l'orgasme, c'est sérieux, légitime, quasiment un droit constitutionnel. La littérature contemporaine d'Iran est d'ailleurs étonnamment riche en petits fascicules évoquant les problèmes d'impuissance et d'éjaculation précoce. Parmi les best-sellers, qui trônent en vitrine des meilleures librairies, on compte *La Fatigue sexuelle*, *Tout savoir sur la vie conjugale* ou encore *Le Manuel du mariage*, un pavé de plus de deux cents pages où deux cœurs dorés cernés de bleu s'entrelacent, en couverture, sur un fond rouge carmin. Le magazine hebdomadaire *Salâmat* (*La Santé*) évoque également ces sujets en abondance, sous forme d'articles et de réponses aux courriers des lectrices.

Pudiques Françaises élevées dans la tradition judéo-chrétienne, accrochez-vous ! En matière de sexualité, c'est en fait le clergé iranien qui détient les records de grivoiserie, voire de perversité. Dans les écoles coraniques, il est de bon ton d'initier, aux heures de pause, les jeunes *tâlébé*, les étudiants en théologie, à la sexualité, en leur racontant une profusion de plaisanteries salaces. À la fin de leurs jours, tous les clercs de haut rang se doivent d'avoir publié dans leur ouvrage de référence au moins un chapitre sur les relations conjugales et sexuelles. L'islam est une religion qui aime et qui valorise le sexe. Tenez, en récompense de leurs actes, les musulmans morts en martyrs, les *chahid*, se voient offrir 72 vierges quand ils arrivent au Paradis, et pas simplement pour leur faire la conversation. Pourquoi 72 ? Je n'ai toujours pas trouvé la réponse. Peut-être que quand le premier *chahid* est arrivé au Paradis, Dieu lui a dit, « je te donnerai 50 vierges », et le *chahid* a dit : « Non, j'en veux 100. » Ils ont dû marchander et ils se sont mis d'accord à 72.

L'argument des mollahs : si les rapports sexuels ne sont permis que dans le cadre du mariage, la culture religieuse ne conteste pas le rôle de la sexualité. Au contraire : elle l'admet comme un besoin instinctif. « L'homme cherche le sexe et la femme cherche l'amour », explique ainsi crûment feu l'ayatollah Morteza Motahhari dans son livre *Les Droits de la femme en islam*. D'après lui, le sexe n'est que désir, et donc seules des règles morales et religieuses pourront le contenir. Sinon la société frôle l'abîme. En

d'autres termes, pour éviter que les rues de Téhéran ne cèdent la place à des partouzes géantes, il faut imposer un cadre bien précis à la sexualité.

En vente libre chez les bouquinistes de la capitale, un ouvrage intitulé *Les Décrets islamiques sur les relations entre hommes et femmes* – qui en est à sa 35e édition ! – en dit long sur la chose. Cette compilation de fatwas émises par de grands ayatollahs (de l'imam Khomeini à l'ayatollah Ali Sistani, l'actuel grand *marjaa* d'Irak, d'origine iranienne) sur la question sexuelle regorge de prescriptions détaillées relatives aux rapports conjugaux : de la façon de faire ses ablutions avant ou après jusqu'au degré de la pénétration.

Extrait : « L'homme qui éjacule à la suite d'un coït avec une femme autre que la sienne, et qui éjacule à nouveau en faisant le coït avec sa femme légitime, n'a pas le droit de faire ses prières s'il est en sueur. Mais s'il fait d'abord le coït avec sa femme légitime et ensuite avec une femme illégitime, il peut faire ses prières même s'il est en sueur. » Non, ce n'est pas un canular. C'est l'une des nombreuses fatwas prononcées, de son vivant, par l'ayatollah Khomeini. En feuilletant les pages de ce même livre, on apprend aussi que « les hommes ne doivent pas regarder les jambes, les chevilles et les pieds d'une femme voilée, même s'il n'est pas question de plaisir sexuel ». En revanche, « ils peuvent regarder le poignet, la jambe et le cou des vieilles ». Reste à clarifier la définition de vieille à l'heure du Botox et des injections. On découvre également que, selon certains ayatollahs, « la sodomie est acceptée, à condition d'obtenir l'accord de son épouse ». Et si « le sexe oral est permis avec l'approbation de la femme, il est illicite d'avaler le liquide ». Par ailleurs, « si c'est un péché d'avoir des relations sexuelles pendant le jeûne du Ramadan, l'enfant qui en naît est néanmoins légitime ». Les Iraniens et Iraniennes qui doutent de l'éthique de leurs rapport sexuels ont, en prime, la possibilité de soumettre, par boîte postale ou par courrier électronique – tous les grands ayatollahs possèdent un site Web –, leurs questions personnelles. Là encore, ça décoiffe. « Puis-je contracter un mariage temporaire avec ma masseuse ? » « Puis-je me teindre les poils du pubis ? » « Puis-je sodomiser ma femme pendant ses règles ? » : ce ne sont que quelques exemples des interrogations diverses et variées qu'on trouve dans les classeurs du représentant de l'ayatollah Sistani, dans la ville sainte de Qom. Et qui attendent avec impatience la réponse du grand *marjaa*, qui sera contacté par fax dans son fief de Nadjaf en Irak.

Entre pléthore de conseils à dormir debout et frustrations refoulées, pas facile de s'y retrouver pour une Téhéranaise du XXIe siècle qui aspire à un mode de vie moderne digne des grandes capitales de ce monde. La multitude de règles imposées aux conditions préalables à un « bon » mariage (virginité, moralité impeccable, tenue irréprochable) a tendance à casser le romantisme du mythe persan des *Mille et Une Nuits*. En revanche, les interdits qui régissent l'espace public iranien cèdent la place aux comportements inverses : prostitution, viols, homosexualité, marché clandestin du film porno. Aucune statistique n'est disponible sur la question, mais à feuilleter les rubriques « Faits divers » de la presse quotidienne, ces « délits » aux yeux de la loi iranienne – et passibles de la peine de mort – seraient plutôt en hausse. Vingt-sept ans de morale islamique ne sont pourtant pas parvenus à briser cet élan passionnel propre aux Iraniennes, qui regorgent d'astuces pour défier les obstacles : flirt sur Internet, drague dans les soirées clandestines, rendez-vous dans les parcs, à l'ombre des platanes. Autant de versions modernes de la grande épopée amoureuse de *Leyli et Majnoun*, l'équivalent de notre *Roméo et Juliette* et chef-d'œuvre impérissable de la littérature persane !

L'art du flirt

Il y a d'abord les lunettes de soleil, calées entre le foulard et la frange, même par temps de pluie. Il y a ensuite la pulvérisation d'eau de toilette, pour « éveiller » les sens. Et puis, le chewing-gum pour effacer l'haleine parfumée au *ghormé sabzi* de mère-grand. Dernier coup d'œil dans le miroir. À part ce petit bouton frontal qui la chagrine, Negar est prête à partir en mission « drague ». En m'embarquant, sans me laisser le choix, dans son périple hebdomadaire.

« À deux, c'est toujours mieux, sourit-elle. Ça dissipe les soupçons, si tu vois ce que je veux dire… » Reçu cinq sur cinq. Si ma présence dans sa Peugeot 206 à la place du mort (et vu la conduite iranienne, ce n'est pas peu dire) peut lui éviter de se retrouver au poste de police, alors je suis prête à faire ma BA. La trentaine, de grands yeux charmeurs, le nez deux fois refait et des lèvres pulpeuses, Negar, c'est Betty Boop avec un foulard. Mais voilà son dilemme, que partagent une colonie de Téhéranaises : impossible de trouver Mister Parfait.

La non-mixité de rigueur dans les espaces publics et l'interdiction de fréquenter le sexe opposé avant le mariage ne lui facilitent pas la tâche. Pourtant, à l'école de la débrouille, Negar est une experte. « Tout est dans l'apparence », me dit-elle. Dès qu'elle repère un Jules potentiel, elle s'empresse de baisser la vitre de sa portière, puis initie une incroyable danse des cils, qui se mettent à glisser comme des essuie-glaces. Tiens, il y en un là-bas, au volant d'un 4x4 reluisant, dans la file inverse, qui semble conquis. Coupe à la David Beckham, petit bouc bien taillé, l'arcade sourcilière parfaitement épilée, il incarne le mâle de ses rêves. Pour une fois, les embouteillages sont bénis ! Chassé-croisé de regards, jusqu'à ce que les deux voitures se retrouvent côte à côte. Et puis, comme un tour de passe-passe bien rodé, notre Roméo jette un petit papier par la fenêtre de Negar. Pas le temps de partager quelques mots. Son véhicule disparaît à

Saint-Valentin à Téhéran

Le soir de la fête des amoureux, mieux vaut réserver son restaurant à l'avance à Téhéran. Cette coutume occidentale, pratiquée depuis seulement quelques années en Iran, est devenue un prétexte idéal pour braver les traditions conservatrices et déclarer sa flamme en offrant une boîte de chocolats en forme de cœur ou un bouquet de roses rouges à sa dulcinée…

nouveau dans le flot des embouteillages. Sur le bout de papier, subtilement arrosé de parfum – on sent l'habitué ! –, il a griffonné son numéro de téléphone. Ce soir, elle l'appellera. Ils se fixeront discrètement un rendez-vous dans un parc. Puis ils iront boire un thé. Et plus si affinités.

Experte de ce genre de manège, Negar en a déjà vu de toutes les couleurs. « Mieux vaut se méfier. Il y a les types mariés, qui se cherchent une copine d'appoint. Il y a les hommes coincés qui t'appellent sur ton portable, mais qui te laissent faire un monologue. Et puis, il y a ceux qui deviennent possessifs, avant même le premier baiser, et qui t'interdisent de parler aux autres hommes... » ricane la belle plante, collectionneuse d'amoureux, à l'affût du prochain candidat à mettre sur sa liste. Mais, attention, grosse nuance : en Iran, la notion de « petit copain » est loin d'être la même que dans notre Hexagone, où les Français sont à peine prêts à attendre jusqu'au troisième ou quatrième rendez-vous pour « passer à l'acte ». Ici, pas de « on va chez toi, ou on va chez moi ? » avant que les choses ne deviennent très sérieuses. C'est d'ailleurs en mois, et même plus souvent en années, que se calcule l'attente des garçons. Les *girls* de Téhéran ont beau exceller en minauderies, elles ne sont pas du genre « filles faciles ». À cause, avant tout, de cette sacro-sainte virginité, sur laquelle veillent le père, les frères, les oncles, les cousins, comme un trésor caché qu'on protège des pilleurs.

Ici, à l'exception d'une minorité ultra-occidentalisée, qui passe ses vacances à Nice ou en Californie, le *doust pessar* (petit copain), c'est tout simplement un garçon qu'on aime bien, et avec qui on va boire des cappuccinos à la sortie du bureau ou de la fac. Bien souvent, l'audace se limite à de petits bisous volés dans l'obscurité d'une salle de cinéma. Rien de plus décoiffant. Mais ça donne tout de même des frissons. La rumeur, encore une, raconte d'ailleurs que les cantines universitaires et les restaurants des casernes militaires dissimuleraient dans les plats une poudre spéciale et inodore visant à réduire le désir sexuel des jeunes. Un contre-Viagra en quelque sorte...

Cafés

Chouka
Le premier café du passage Gandhi, non loin de la place Vanak, ouvert dans les années 90. Depuis, il en a poussé une petite dizaine tout autour. Les jeunes intellectuels du moment s'y retrouvent, autour d'un cappuccino, pour discuter art, censure et politique.

Café 78
Sur l'avenue Aban, au centre de Téhéran. Les jeunes artistes et les écrivains viennent y boire un thé parfumé ou manger une soupe maison.

Café Coupe
Non loin de l'université de Téhéran, idéal pour tuer le temps entre deux cours en amphi. Il y a le coin restaurant en bas, et l'espace café en haut, avec de petits canapés pour pouvoir lire le journal. On peut y rester des heures à bouquiner et à passer des coups de fil aux copines, en attendant la fin des embouteillages pour pouvoir rentrer chez soi.

(...)

La « drague » en voiture n'est pas donnée à tout le monde. Elle n'est pas donnée à celles qui n'ont pas de voiture. Ouaip ! Alors pour celles qui n'ont que les moyens de circuler en taxi collectif, le collé serré dans cet unique transport en commun qui tolère la mixité, à l'opposé des bus où les deux sexes sont séparés, a ses avantages. Quelques paroles échangées à l'arrière d'une banquette. Et l'affaire est dans le sac. Les amoureux potentiels se proposent de se retrouver au cinéma ou bien autour d'une glace. S'ils sont timides ou issus d'un milieu conservateur, ils se contenteront de se donner rendez-vous sur l'Internet. Le « tchat », facilement praticable dans les nombreux *coffee-net* de la capitale, est un flirt « sécurisé » qui permet de faire plus amplement connaissance sans déchaîner les foudres parentales.

Pour celles et ceux qui ne sont pas du genre virtuel, Téhéran offre, depuis quelques années, une alternative de rêve : les cafés. Ils se sont mis à pousser discrètement au milieu des années 90, quand l'Iran commençait à se remettre du traumatisme de la guerre Iran-Irak. Mais au cours de la dernière décennie, ils se sont multipliés à travers la ville. Attention, ne vous attendez pas à trouver des cafés à tous les coins de rue, c'est encore, dans le Sud plus populaire, une denrée rare. Ne vous attendez pas, non plus, à voir des jeunes s'embrasser à pleine bouche, comme aux terrasses de Saint-Germain-des-Prés, un verre dans une main, le journal dans l'autre. Mais, signe d'un léger assouplissement des mœurs, il est désormais possible de se prendre par la main – voire, un peu plus risqué, mais tolérable, de se glisser un bisou audacieux sur la joue.

Fini, en effet, le temps, pas si lointain, où, dans la bande de copines, il y en avait toujours une qui devait faire le pied de grue devant la porte pour guetter une éventuelle descente de *bassidjis*, les miliciens islamiques. En cas d'alerte, un geste de la main suffisait pour signaler au groupe de recomposer, au plus vite, des tables de filles et des tables de garçons, selon la séparation des sexes en vigueur. « Maintenant, c'est plus relax, m'explique Negar. On n'est jamais à l'abri du zèle des miliciens. On les voit, le soir, improviser des

(...)

Café Lord

Situé en face de la grande église de l'avenue Villa, c'est le QG des membres de la minorité arménienne. C'est aussi le repère des amateurs de bons choux à la crème, de millefeuilles et de cafés glacés. De loin les meilleurs de Téhéran.

La Maison des artistes

Le restaurant de cette ancienne caserne militaire transformée en centre culturel propose, tous les midis, un menu végétarien. L'après-midi, idéal pour siroter un café ou une tisane sur sa jolie terrasse ombragée.

Café Carino

On y fume le narguilé en sirotant un thé au rythme d'une musique latino-iranienne. Coincé derrière l'avenue Pasdaran, c'est un excellent refuge pour les rendez-vous amoureux.

postes de contrôle en pleine ville. Mais maintenant, ils t'attrapent pour une affaire plus sérieuse : drogue ou transport interdit d'alcool de contrebande… »

Parfois, on les voit réapparaître tout d'un coup, là-haut, sur les pistes de ski, l'eldorado de la jeunesse dorée où les foulards tombent et les nuits sont endiablées. Une rafle par-ci, une rafle par-là pour remettre de l'ordre. Mais bien souvent, la liberté s'achète contre quelques Khomeini (terme utilisé pour désigner le billet vert de 10 000 rials – soit un euro – décoré du portrait du père de la révolution).

Plus bas, sur les sentiers de randonnée de Darband, parsemés de jolies maisons de thé, entre le Téhéran pollué et les sommets enneigés de Chemchak et Dizine, les miliciens semblent, par contre, avoir lâché du lest. Pour le plus grand bonheur des adeptes de la drague du vendredi, jour chômé en Iran. L'été, où la fraîcheur de l'altitude y est particulièrement prisée, est propice aux rencontres autour d'un narguilé (la traditionnelle pipe à eau) ou bien au bord du ruisseau qui serpente à travers les roches. Romantique et sans danger. À Darband, c'est le tout-Téhéran qui se croise dans une ambiance bon enfant. Ici, des familles traditionnelles déploient la grande nappe du pique-nique. Là, de jeunes couples se murmurent des mots tendres. D'autres s'amusent à dévaler la ravine comme des cabris, le *ghetto-blaster* à l'épaule. Souvent, à la nuit tombée, des groupes se forment autour d'un feu de joie. Il y a toujours le musicien de service, avec sa guitare et sa voix grave à la Dariouch (encore un chanteur iranien exilé à Los Angeles). S'il n'y a pas trop de monde à la ronde, les demoiselles se prêteront au rituel des danses persanes. Au rythme de chants évoquant l'amour, la liberté, la légèreté.

Si Darband s'est imposé, au fil des années, comme un axe incontournable de la drague, les autres repaires du flirt à l'iranienne ont tendance à changer. Eh oui – qui l'aurait cru ? – à Téhéran, un peu comme à Paris, New York ou Beyrouth, la mode évolue. La fameuse avenue Jordan – baptisée en son temps l'avenue de la drague – est aujourd'hui concurrencée par l'avenue Ferechteh, un peu plus au nord, ou encore le carrefour

Les restaurants les plus romantiques

Bistango
Situé au sous-sol d'un hôtel cosy, sur la grande avenue Vali Asr. Jolies nappes en tissu, petites bougies sur les tables, mélodies amoureuses flottant dans l'air. Tout pour plaire, en plus d'une carte variée, inspirée par le passage d'un chef cuisinier canadien.

Monsoon
Cuisine asiatique dans un décor très moderne au rez-de-chaussée du passage Gandhi, non loin de la fameuse place Vanak. Lumière tamisée et musique piratée du Buddha Bar. Le repaire des hommes d'affaires et des amoureux.

Bix
Très intimiste, caché derrière une porte en fer blanche entourée de plantes. L'été, on peut dîner en terrasse. La cuisine est californienne et les serveurs accueillants.

(…)

des avenues Vali Asr et Mirdamad, où se trouve une profusion de nouvelles boutiques et de cafés. Sans oublier l'indétrônable place Vanak, plus au centre, où les filles vont se prêter aux joies du lèche-vitrine, tout en zyeutant les fils à papa qui circulent en Mercedes. Aujourd'hui, le nec plus ultra de la branchouille téhéranaise a un nom d'oiseau. Il s'appelle le Canard bleu (*Blue Duck*). Encastré dans un centre commercial flambant neuf (Tandis), juste au-dessus de la place Tadjrich, non loin des sentiers de Darband, il offre, tous les vendredis matin, l'option brunch à l'américaine. C'est d'ailleurs là que notre Negar de service envisage de retrouver son prince charmant qui lui rappelle son footballeur préféré. Entre nous, le brouhaha ambiant et le décor mi-froid mi-moderne, et sacrément impersonnel, du Canard bleu a tendance à me rappeler les mauvais souvenirs des cafétérias d'aéroport… Mais pour la capitale d'une République islamique tiraillée entre tradition et modernité, c'est « *Âliiiiii !* » (« Formidable »), me convaincra Negar, en faisant rouler ses longs cils.

Protégez-vous !

Difficile de les rater dans leurs boîtes oranges, roses et vertes. Dans cette grande pharmacie du nord de Téhéran, les préservatifs occupent… la première vitrine, à l'entrée, juste à droite. Et ça n'a pas l'air de faire rougir les clientes en foulard. Encore moins Mohammad, jeune vendeur en blouse blanche, ravi de conseiller ces dames. « Et pour vous, ce sera à la fraise, à la menthe ou à la cerise ? – Euh, non merci. Je ne faisais que regarder… Simple curiosité. » Apparemment amusé par ma mine déconfite, que je m'efforce pourtant de cacher derrière mon voile, il se met à égrener les différentes marques disponibles : Vigrex (*made in Malaisia*), Vicox, Relax, Lifestyles.

(…)

Boulevard
Décoration moderne et cuisine à l'occidentale. Le midi, ambiance copines qui sortent du salon de beauté. Le soir, tendance romantique, avec, ici aussi, une lumière tamisée et un service impeccable.

Lounge
Le dernier restaurant branché de la capitale. Décoration épurée, très new-yorkaise. Pas plus de 30 couverts. Une variété de plats d'inspiration italienne et française. À déguster avec un mojito ou un cocktail de fruits, sans alcool bien sûr.

Guilak
Un bijou, perdu entre les gratte-ciels du complexe résidentiel « Parc Prince ». On y mange une cuisine raffinée du nord de l'Iran : poulet aux noix et à la pâte de grenade, ratatouille, poisson de la Caspienne.

Golé Rezaiyeh
Idéal pour un déjeuner en ville, après avoir fait la tournée des antiquaires de la rue Manouchehri. Ce petit restaurant de charme, décoré de photos noir et blanc de musiciens de jazz se trouve juste en face du Musée de la céramique, installé dans un ancien petit palais Qajar. On vous recommande la truite grillée.

Cependant, sa préférence va pour Durex. « C'est allemand *(sic)*. C'est du solide ! » On en fabrique aussi, dit-il, dans une usine de la banlieue industrielle de Téhéran, Ghazvin. « Mais je n'en vends pas. Mes clientes préfèrent les marques étrangères. C'est plus chic ! » Qui aurait imaginé que le chic puisse se loger dans du plastique d'emballage, fût-ce pour emballer un bien si précieux. Et encore faut-il en avoir les moyens. La boîte de douze préservatifs Durex revient à 4 500 tomans (l'équivalent de 4 euros), soit trois fois le prix de la boîte malaisienne.

Mon accent français l'ayant mis encore plus à l'aise, docteur ès-Condoms enchaîne : « J'ai entendu dire que là-bas, en Occident, on en trouve de toutes les formes, et que les femmes aiment ça... Ici, c'est pas encore arrivé... Vous savez, il faut respecter certaines traditions conservatrices. » Pourtant, poursuit-il, ça permettrait à son business de fleurir encore plus. « J'en vends déjà une centaine de boîtes par jour ! » dit-il. Mais là, il y a quand même un truc qui m'échappe. Comment les Iraniens, soumis à une morale islamique stricte où les relations sexuelles sont interdites avant le mariage, peuvent-ils être d'aussi gros consommateurs de capotes ? « Ah, mais c'est essentiellement pour les couples mariés ! » « Essentiellement » : mot de passe pour évoquer, à demi-mot, une discrète clientèle de prostituées.

Ici, les autorités religieuses ne se sont jamais opposées à l'utilisation du préservatif. Au contraire. En 1980, il fut officiellement approuvé par une fatwa prononcée par l'ayatollah Khomeini. Après avoir finalement brisé, il y a quelques années, le tabou du sida, Téhéran s'est également lancée dans une campagne de prévention contre les maladies sexuellement transmissibles. Avec distribution gratuite de préservatifs et de seringues dans certains hôpitaux pour les toxicomanes – la consommation de drogue, qui traverse comme une passoire la frontière afghane, étant un des fléaux de l'Iran contemporain.

Mais l'encouragement à l'utilisation du préservatif répond, avant tout, à un objectif étatique bien précis : le contrôle des naissances, initié dès la fin des années 80. D'où, également, la vente libre de pilules – sans ordonnance ! – dans les pharmacies. Contrairement aux idées reçues, et en dépit de la tradition nataliste de l'islam, les Iraniens ne se reproduisent pas à outrance ! Aujourd'hui, on compte moins de deux enfants par foyer en République islamique. N'en déplaise à Mahmoud Ahmadinejad qui, dans un nouvel élan de ferveur islamo-populiste, a rappelé, en octobre 2006, les Iraniennes à leur « devoir de procréation ». Son exhortation s'est vite soldée par un tollé. « Mais qu'est-ce qui vous prend, monsieur le Président ? » titrait dès le lendemain le journal libéral *Etemad-e Melli* (*La Confiance du peuple*). L'initiative, qui coïncida avec la fin du mois de Ramadan et l'annonce surprise par le gouvernement de quatre jours de congés, ne manqua pas d'alimenter les blagues les plus grivoises. « Au lit ! » « Ahmadinejad vous met en vacances forcées pour faire des bébés ! » pouvait-on lire sous forme de textos envoyés sur les téléphones portables. Signe d'un véritable flop : le guide religieux, l'ayatollah Ali Khamenei, pourtant la personnalité la plus empreinte de tradition islamique, se garda de tout commentaire. Une façon polie, mais ferme, de désapprouver le président.

Il faut dire que l'argument avancé par Ahmadinejad, en pleine bisbille avec l'Occident à cause du programme nucléaire iranien, frôlait le surréalisme. Extrait choisi de son discours devant le Parlement : « Notre pays a la capacité d'élever davantage d'enfants et de faire vivre une population de 120 millions d'habitants – soit le double de la population actuelle. La croissance démographique dans les pays occidentaux est négative et leurs gouvernements craignent que, si notre population augmente, nous puissions rapidement triompher sur eux. » Autrement dit, faites des bébés pour dominer l'Europe et l'Amérique ! S'il existait un syndicat des vendeurs de capotes, Mohammad, notre expert en préservatifs aurait été le premier à manifester. Et des millions de pintades l'auraient rejoint dans la foulée.

Car Ahmadinejad osa même proposer un « aménagement » spécifique aux mères pondeuses : continuer à travailler à temps partiel, tout en touchant le salaire d'un emploi à temps plein. C'était sans compter la sensibilité des Iraniennes. « Faire des enfants pour augmenter le nombre de jeunes chômeurs, pas question ! » me confia, en rage, une de mes amies de la basse-cour féministe. Le taux de chômage, officiellement de 12 %, atteindrait en fait le double.

C'était, aussi, faire revivre les mauvais souvenirs de la guerre Iran-Irak, déclenchée par Saddam Hussein, juste après la chute du Chah et l'instauration d'une théocratie religieuse. À l'époque, les familles étaient appelées, à coups de renfort publicitaire, à faire plus d'enfants dans la perspective, à peine voilée, de remplir les rangs de « l'armée des vingt millions » fixée par l'ayatollah Khomeini. En 1986, la pintade iranienne pondait ainsi une moyenne de six pintadeaux.

Mais les ravages provoqués par le conflit et la crise économique ont poussé le pays à revoir rapidement ses ambitions démographiques à la baisse. Résultat du nouveau planning familial : l'indice de fécondité avoisine actuellement 1,5 enfant par femme. Aujourd'hui, personne n'y échappe : le préservatif fait partie de l'apprentissage sexuel – basique, entendons-nous – dispensé aux futurs époux, au moment de la visite médicale obligatoire. En l'espace de trois secondes – montre en main –, une infirmière en foulard gonfle la chose devant les gloussements embarrassés de son audience. Et, petit pic à l'attention des hommes, recommande habilement aux jeunes vierges apeurées de ne pas « laisser leurs maris pousser trop fort »…

En Iran, le féminisme revient toujours au galop. D'ailleurs, n'allez pas croire que la chute de la natalité a comme unique origine le planning familial. Il résulte, entre autres, d'une modernisation de la société, d'une urbanisation croissante, de mariages plus tardifs et de grossesses plus espacées. La chute de la mortalité infantile y est également pour quelque chose. On est passé de 114 décès d'enfants de moins d'un an pour mille naissances en 1975 à 34 pour mille en 1994. Du coup, les parents investissent plus d'argent et d'espoir dans l'éducation de leurs rejetons, et sont moins pressés de faire des enfants à la pelle. Les Iraniennes ne se gênent plus pour vous dire clairement qu'elles n'ont pas que ça à faire. Priorité aux études, à la recherche d'un travail. Et l'obsession de l'esthétique et du ventre plat, pour pouvoir se permettre de rentrer dans le dernier *mantô* à la mode, en pousse aujourd'hui plus d'une à éviter les naissances en série.

L'Iran n'aura pas fini de nous surprendre… Qui l'eût cru, il est même fort probable que le préservatif ait des origines… perses. Si, si. Une petite recherche Google sur Internet (où, si le mot sexe est censuré – *ACCESS DENIED !* –, celui de « préservatif » apparaît avec près de 2 millions de réponses) m'a récemment appris que l'utilisation de la chose remonterait à plus de 600 ans en Iran. C'est en tout cas ce que soutient l'imam Cherif Ousmane Madani Haïdara, une éminence religieuse du Mali, dans une interview publiée il y a quelques années dans un magazine burkinabé. « L'islam connaît le préservatif depuis longtemps », notait-il. Fabriqué à partir d'intestins de bœuf et de moutons, il servait, selon l'imam, aux nobles dans leurs relations avec « leurs femmes esclaves »… Les Iraniens détiendraient donc depuis des décennies la clef de la fabrication des capotes… Alors, ces préservatifs de Ghazvin, peut-être que ça vaut le coup de les essayer.

Haute couture

« Se marier sans être vierge, tu rigoles ? C'est im-pen-sable ! » Du haut de ses 29 ans et de ses incroyables talons aiguilles, Solmaz a tout de la pin up occidentalisée, sans complexe et sans tabou. Au volant de sa Pride blanche, elle est toujours la première à griller les feux rouges, à trouver les bonnes adresses privées pour aller danser, à lancer des clins d'œil aux hommes qui lui plaisent. Mais pour Solmaz comme pour la majorité des Iraniennes, il y a une ligne rouge à ne pas franchir : la relation sexuelle avant le mariage. Quels que soient son ascendance et son milieu social, la jeune femme doit se marier « vierge ». Question d'honneur ! (*Nâmous* en persan, un principe fondamental dans les sociétés musulmanes).

À moins d'avoir les moyens de réparer les dégâts avant la noce, autrement dit d'aller se faire recoudre l'hymen. Une chirurgie pratiquée en toute clandestinité par quelques rares gynécologues de Téhéran. La réfection de l'hymen se fait à leurs risques et périls (et aux risques et périls de leurs patientes), mais leur garantit d'arrondir grassement leurs fins de mois. Ils ont également l'habitude de voir défiler des jeunes filles en larmes les suppliant de rédiger un « certificat de virginité », un document souvent exigé par le futur époux ou les beaux-parents. Sur ce sujet, les hommes – même les plus modernes et les plus éduqués – n'ont presque aucune marge de tolérance. Alors, pour éviter tout scandale, voire répudiation, les Iraniennes n'ont pas le choix. Et c'est bien là une des pesanteurs de la société iranienne qui flirte au quotidien avec la modernité mais où l'archaïsme et la tradition résistent encore aux dynamiques qui la secouent.

Les plus espiègles des Téhéranaises – et il en existe – sauront néanmoins « contourner » l'interdit. « Vous savez, pour rester vierge sans se priver du plaisir sexuel, il y a toujours des astuces comme la fellation ou la sodomie », confie crûment, face à la caméra, une jeune femme interrogée dans *Tabous*, un documentaire décapant réalisé par une cinéaste iranienne, dont la version DVD circule sous le manteau à Téhéran.

Sexe, vengeance et vidéo

Même Téhéran n'échappe pas aux scandales sexuels. Comme en Occident, ils ont d'ailleurs vite fait, dès qu'ils éclatent au grand jour, de défrayer la chronique et d'alimenter les rumeurs les plus perfides dans les couloirs des amphithéâtres universitaires et sur les banquettes des autobus. La comparaison s'arrête là. Car le sort réservé aux « pécheresses » est loin d'être aussi glamour que celui de la sulfureuse américaine Paris Hilton, dont les ébats amoureux vendus sur le Net il y a cinq ans par son ex-fiancé, ont largement contribué à lancer sa carrière de jet-setteuse. Zahra Amir Ebrahimi, 25 ans, star grimpante du petit écran iranien, en sait quelque chose. Depuis qu'elle s'est retrouvée, à l'hiver 2006, au centre d'une mystérieuse affaire de film porno, les projets télévisés sont au point mort et une peine allant jusqu'à 99 coups de fouets lui pend au nez.

L'actrice iranienne, habituée aux rôles de jeune fille sage, venait de se faire acclamer dans *Nargess*, la dernière série télévisée à l'eau de rose, sorte de drame familial pimenté comme il se doit d'intrigues amoureuses, suivie par près de 70 % de la population ! Son avenir s'annonçait donc prometteur dans le petit monde du soap opera iranien. Jusqu'au jour où une vidéo amateur, vendue sous le manteau et sur laquelle tout le monde a cru la reconnaître en pleine copulation avec son ex-amant, s'est mise à circuler dans Téhéran. Les images, où le jeune couple se laisse aller au plaisir de la chair devant une caméra perchée au pied du lit, sur fond de musique douce, ne tardent pas à faire le tour du pays. 100 000 DVD distribués en deux mois. Sans compter les multiples sites Internet qui postent des extraits de la vidéo et les SMS envoyés sur des milliers de téléphones portables.

Le scandale se transforme en cauchemar. Dans un pays qui proscrit formellement les relations sexuelles avant le mariage, l'affaire ne tarde pas à provoquer le courroux de la justice. Le redoutable Saïd Mortazavi, le procureur général de Téhéran, prend lui-même l'enquête en main. Le jeune amant, soupçonné d'avoir distribué la vidéo, tente alors de prendre la poudre d'escampette dans un pays voisin. Retrouvé en Arménie et rapidement extradé, il finit par échouer derrière les barreaux iraniens.

La loi islamique en vigueur en Iran ne fait pas de cadeau. Toute personne encourageant la prostitution, ou portant atteinte à la vie privée des gens et à l'ordre moral, risque de lourdes peines de prison. Le jeune homme, dont le dossier se trouve entre les mains de la justice, pourrait écoper de trois ans au fond d'un cachot et d'une grosse amende. Il aurait d'ailleurs fini par plaider coupable. Difficile de mentir, quand son visage apparaît clairement sur la vidéo, et qu'on le voit même faire des signes à la caméra pendant qu'il chevauche sa compagne. Selon sa version des faits, c'est Zahra Amir Ebrahimi qui aurait suggéré une telle vidéo, et c'est chez elle que le tournage aurait eu lieu.

Vrai ou faux ? Dans ce genre d'affaire, les journaux iraniens ne sont pas avares de commentaires. Quitte à avancer les spéculations les plus folles. Selon les uns, la vidéo, filmée il y a plus d'un an, aurait été clandestinement copiée et diffusée par un informaticien à qui la jeune femme avait confié son ordinateur en réparation. Selon les autres, ce n'était qu'un coup monté de l'ex-amant jaloux pour briser la carrière de la jeune starlette. Choquée par le bruit provoqué par l'affaire, Zahra Amir Ebrahimi aurait même tenté de se suicider…

Coupable ou non, la jeune actrice, sous le coup d'une enquête judiciaire, nie tout en bloc et continue de démentir être la personne en question. Elle laisse entendre que son ex-fiancé, producteur dans le cinéma, aurait truqué les images pour que la fille de la vidéo lui ressemble.

Si rocambolesque soit-elle, l'affaire s'avère n'être qu'un drame amoureux parmi tant d'autres. Car – qui aurait pu l'imaginer ? – en République islamique, ce genre de tragédie sur fond de passion teintée de voyeurisme, de manipulation et de vengeance ne fait pas figure d'exception. On raconte qu'il y a quelques années, il en a coûté la vie à un homme de la ville religieuse de Machhad, dans le nord est du pays. Le pervers s'amusait à faire chanter ses maîtresses en menaçant de diffuser leur rapports sexuels, filmés en douce, si elles refusaient de revenir le voir. Il a fini par être repéré et condamné à la pendaison sur la place publique.

Le boom de la vidéo numérique, des téléphones portables dotés d'appareils photo et de l'Internet aidant, un phénomène bien décoiffant est actuellement en train d'émerger : la vente illégale de films de cérémonies de mariages, de soirées clandestines, ou d'Iraniennes en bikini se prélassant au bord de piscines réservées aux femmes. Au départ, ces vidéos relèvent d'un usage privé. Mais quand elles échouent entre des mains de plaisantins aux intentions peu morales, il faut s'attendre au pire. Car c'est de bonne école : plus la chose est interdite, plus elle attire. La jeune Zahra Amir Ebrahimi en paie aujourd'hui les frais. Elle aura beau tenter de refaire carrière en endossant à nouveau le rôle de la jeune fille rangée, la fameuse vidéo, vite rebaptisée *Nargess II* lui collera à la peau jusqu'à la fin de ses jours.

Le mollah *match maker*

Trouver le mari idéal relève d'une mission quasi impossible dans la capitale de l'amour sous surveillance. Ici, des filles superbes se retrouvent à multiplier les rencontres avec des « docteurs » Iraniens velus en bas et dégarnis en haut, portant moustache et bedaine en taille XXL. Selon la tradition du *khâstégâri* (la demande en mariage), c'est l'homme qui choisit son épouse. Un point, c'est tout. Et pourtant, Jafar Salavanpour Ardabili est en train de prouver que le contraire n'est pas *haram* (illicite), en offrant aux Téhéranaises le bénéfice de la sélection. Et avec la bénédiction d'Allah ! L'homme de la situation, âgé de 40 ans, porte un turban blanc et une longue robe grise. Formé à l'école coranique de Qom et professeur de philosophie à Téhéran, il exerce depuis six ans le métier – inédit en République islamique – d'agent matrimonial à mi-temps. Hum, sacrément atypique pour un mollah ! Mais les âmes seules, elles, l'ont vite adopté comme leur bonne étoile.

Son constat de départ : « En Occident, les jeunes peuvent se rencontrer dans des bars, dans des night-clubs. Ici, ça n'existe pas. » Il fallait donc trouver un moyen, tolérable par la religion et par la société, d'organiser des rencontres, et d'encourager les Iraniennes à être actives dans la quête de leur futur époux. Pari réussi. Tous les après-midi, son bureau – boîte d'allumettes décorée de guirlandes lumineuses et de fleurs en papier mâché (d'une désuétude romantique on ne peut plus iranienne !) – situé dans le sud de Téhéran, tremble du va-et-vient incessant de jeunes femmes célibataires, drapées de noir ou coiffées d'un léger foulard.

Qu'elles soient jolies, moches, grosses, petites, élégantes ou à moustache, elles viennent toutes le supplier de les aider à trouver le parfait conjoint, moyennant 30 euros ou plus, sous forme de donation, si l'affaire se conclut bien. Ardabili, lui, se veut rassurant, encourageant, jonglant entre son carnet de notes, son chapelet rouge qu'il égrène mécaniquement et son ordinateur, connecté 24 heures sur 24 sur Internet, où il s'adonne simultanément au conseil en ligne sur son site personnel (www.ardabili.com). La méthode Ardabili, c'est un peu Meetic.com à la sauce iranienne. « Quand on a la chance d'avoir accès à un ordinateur, on n'envoie plus des lettres à dos de cheval. De même pour la demande en mariage, c'est rétro ! Il faut s'adapter à son temps », souffle-t-il en pouffant de rire.

Avant le face-à-face avec monsieur « *match maker* », un terme qu'il utilise pour se décrire même si ça lui fait penser aux « vieilles mémés qui jouent les intermédiaires », les candidates au mariage doivent remplir, dans la salle d'attente, un questionnaire détaillé, incluant leur poids, leur taille, la couleur de leurs yeux – et de leurs cheveux, cachés sous le voile – sans oublier le *méhrié* idéal (la fameuse « dot » à l'envers). On se croirait presque à la sécurité sociale. Mais plus les réponses sont détaillées, plus le mariage sera réussi, au dire de notre expert.

Une fois passée la présentation écrite formelle, ces demoiselles sont également invitées à apporter certaines conditions au contrat de mariage : pouvoir voyager sans avoir à demander l'autorisation du conjoint, obtenir la garde des enfants en cas de divorce, interdire à son mari de prendre une femme en secondes noces, etc. « Beaucoup de femmes ne connaissent pas leurs droits. On les encourage à prendre des initiatives », explique Ardabili, en revendiquant son attitude pro-féministe.

La suite des événements se déroule selon un ordre logique, finement pensé par ce petit clerc futé. Chaque prétendante est invitée à feuilleter un book contenant près de deux cents fiches de candidats (rencontrés individuellement par le *match maker* enturbanné), parmi lesquels elle doit piocher ses cinq favoris. Avec photos ringardes à l'appui où l'on voit, par exemple, le soupirant potentiel poser devant un décor bucolique, ou bien droit comme un pic, engoncé dans un costume trop serré, au milieu du salon parental. Après un marathon concocté par Ardabili (séminaire de thérapie sexuelle, test de présentation, visite médicale), la demoiselle affinera son choix, pour enfin rencontrer l'homme qui se rapproche le plus de son idéal.

Moment ultime, le tête-à-tête romantique a finalement lieu dans une pièce voisine, autour d'un thé et de petits gâteaux apportés par une secrétaire lunetteuse en tchador noir. Rouge écarlate d'émotion, les deux prétendants se parlent pour la première fois. Si coup de foudre il y a, l'alchimie de l'amour est en marche et plusieurs nouvelles rencontres auront lieu avant la cérémonie du mariage. Un procédé avant-gardiste qui va à l'encontre des traditions iraniennes, les époux ne se voyant en tête-à-tête généralement pour la première fois que le soir des noces, mais qu'Ardabili encourage vivement. D'ailleurs, pour se protéger des foudres des religieux conservateurs, notre homme a pensé à tout : son site Internet, qui s'ouvre sur fond de chants d'oiseaux et de bruit de rivière qui coule, contient les copies scannées de lettres d'encouragement émises par d'éminents ayatollahs de Qom.

Lui-même, marié très jeune et aujourd'hui père de trois enfants (« Je n'ai rencontré ma femme que le jour des noces ! » sourit-il), s'est trouvé très vite une vocation de *match maker*. Sa première mission, menée avec succès en 1996, il s'en souvient comme si c'était hier. Mahmoud, croisé sur le campus de l'université de Téhéran, lui confie son amour sans issue pour une certaine Afsaneh. Leurs parents respectifs s'opposent au mariage. Ardabili au grand cœur décide alors de prendre l'affaire en main. Sans perdre une seconde, le voilà qui s'envole pour Dubaï, où les parents de la jeune femme ont déménagé, puis rejoint Chiraz, dans le sud de l'Iran, pour y rencontrer la famille de Mahmoud. Les négociations sont fructueuses. Mahmoud et Afsaneh finissent par se marier.

Et puis, la vraie révélation, Jafar Salavanpour Ardabili l'a eue lors d'un séjour au Canada, de 2000 à 2002. « Là bas, dit-il, les gens mènent une vie heureuse. Ils sont plus détendus. » De retour à Téhéran, il lance finalement sa petite agence matrimoniale. Un succès. « Au début, on s'est retrouvé avec mille candidats par jour ! » se souvient-il. La publication d'un article dans *Hamchahri*, l'équivalent iranien du *Parisien*, puis dans le *New York Times* lui valent vite une profusion de nouveaux clients et clientes. Avec, surprise qui ne manque pas de piquant, des demandes qui affluent de l'étranger. « J'ai marié un Japonais à une Thaïlandaise. Et aussi une Ukrainienne à un Iranien ! »

Il n'oubliera jamais la candidature d'une Polonaise, Isabella, reçue il y a quelques années. Elle cherchait à épouser un Iranien.

« Je me suis dit, celle-ci, c'est pour mon frère. Il est ingénieur et vit au Canada. Je les ai présentés. Ils sont aujourd'hui mariés et heureux ! » glousse-t-il. Depuis, les petites victoires amoureuses s'accumulent. « J'ai marié plus de 1 300 couples en 6 ans. » Parcours sans faute : « Aucun, à ce jour, n'a divorcé », dit-il. Mais dans une société qui reste traditionnelle, sa réputation est en jeu et il le sait. Alors, il doit redoubler de prudence. Et il doit protéger ses candidates. « Pas question d'aider un vieil homme qui se cherche une jeunette. Chez mes clients, il faut que la différence d'âge ne dépasse pas les sept ans ! » souligne-t-il. Un jour, se souvient-il, « je vois un type débarquer dans mon bureau qui me dépose une liasse de 2 000 dollars ». L'homme n'avait pas frappé à la bonne porte. « J'ai pris l'argent et je le lui ai balancé à la figure ! »

7. Scène de ménage

Mon mari, cet inconnu

C'est « la » photo de la soirée. Dans sa robe de mariée aux broderies blanches, Sepideh, le visage crispé, serre la main d'Arach, assis à côté d'elle. Au-dessus de leurs têtes, recouvertes d'un grand tissu clair, les invitées se relayent pour frotter, selon la tradition, deux grands cônes de sucre. Pour que la vie des jeunes époux soit douce, dit-on. Joli symbole. Mais va-t-il garantir le bonheur de ces deux tourtereaux qui ne connaissent de l'un et l'autre que le prénom ? Ce n'est pas gagné. « *Yek ! Do ! Sé !* » (« Un ! Deux ! Trois ! ») entonne le photographe de service. Chacun y va de sa plus belle risette. Sauf Sepideh. « Allons, Sepideh, un grand sourire ! » enchaîne le photographe, un brin insistant. Il aurait mieux fait de se taire. À peine le flash déclenché que la jeune femme explose en sanglots. Dommage, le cliché s'annonçait réussi. Mais à voir les grosses larmes lessiver les traits de crayon cache-cernes, censés effacer le stress des préparatifs, on comprend vite que la pauvre revient d'un voyage sacrément épuisant.

En République islamique d'Iran – et Sepideh sera la première à le confirmer – on ne parle pas d'amour. On parle de mariage. Une institution plus qu'une union spontanée. Du coup, les jours qui précèdent la fête finale ressemblent à une pénible odyssée faite de négociations, de faux-semblants, d'hypocrisie, où les sentiments sont complètement balayés d'un coup de tchador. Pas étonnant, dans ces conditions, que bien des jeunes mariées se retrouvent, le soir de leurs noces, au bord de la crise de nerfs.

Dans 80 % des cas, les mariages sont « arrangés ». Résultat d'un mélange de puritanisme religieux et de conservatisme social. En principe, la Téhéranaise modèle ne doit fréquenter, avant le mariage, d'autre homme que son père, ses frères et ses cousins (cf. chronique « Visa temporaire pour l'amour », p. 151) Cela dit, les exceptions sont évidemment nombreuses. En principe, donc, lorsque la jeune tourterelle approche la vingtaine, les prétendants défilent à sa porte. C'est le fameux *khâstégâri* – la demande en mariage –, une procédure classique, bien inconfortable, à laquelle aucune Téhéranaise ne peut échapper. Si vous êtes étrangère et que vous passez plus de trois semaines dans la capitale iranienne, vous n'y échapperez pas non plus. En général, ce sont les tantes, les cousines et les sœurs du prétendant qui se chargent de partir en mission de repérage. Les yeux allumés comme les phares d'un 4X4, elles ratissent large : à la mosquée, au club de gym, chez les voisines. Pas très romantique ? Peut-être, mais bien plus désirable que la misère sentimentale et le célibat forcé façon Carrie Bradshaw.

Une fois la proie idéale trouvée, le jeune homme endimanché va tenter sa chance, en allant se présenter, les bras couverts de fleurs et de pistaches, au domicile des beaux-parents potentiels. Épreuve test pour la tourterelle : elle doit se prêter au jeu du *khaechmikonam* (« Je vous en prie »), en distribuant thé, friandises, fruits et petits concombres. Être à la hauteur d'une parfaite femme de maison, quoi ! L'exercice est d'autant plus ingrat qu'il est soumis au regard policier de la mère du prétendant, venue escorter son petit chéri. Pendant ce cérémonial embarrassant, on entend seulement voler les mouches. Les prétendants n'ont même pas le temps d'échanger un mot. La conversation est rapidement confisquée par les deux mères qui surenchérissent d'autocongratulations respectives. « Elle était la meilleure de sa classe ! » « Il est très sportif ! » « Elle prépare très bien le *ghormé sabzi* » (le fameux ragoût aux herbes). « Il conduit prudemment. » « Elle adore les enfants. » « Il a un bon salaire. »

Le salaire : voilà un sujet très important dès que les affaires deviennent sérieuses. Les Iraniens ne marient pas leur fille à n'importe qui. D'ailleurs, si ni le candidat au mariage ni ses revenus ne plaisent à la tourterelle, ses parents couperont très vite court aux démarches. Prétexte régulièrement entendu : « Oh, vous savez, elle veut d'abord finir ses études avant de songer au mariage. » Car c'est souvent sur la base de son salaire que le futur époux pourra suggérer le montant du *méhrié*, c'est-à-dire la dot qu'il doit remettre à sa femme. En d'autres temps, le *méhrié* se négociait en chameaux et en moutons. Aujourd'hui, il se calcule en pièces d'or, ou en rials. Cette somme, dont le montant est réévalué en fonction de l'inflation galopante, ne doit normalement pas être consommée immédiatement. Elle constitue un pécule « sécuritaire », qui reviendra à la femme en cas de divorce ou de décès de son mari.

Mais la discussion de son montant – et des conditions de son utilisation – fait l'objet de sérieux comptes d'apothicaires, qui peuvent durer des semaines, voire des mois. Les négociations à rallonge autour du dossier nucléaire iranien, ça vous dit quelque chose ? Eh bien, en matière de mariage, c'est un peu la même chose : on chipote, on trouve un accord de principe, on se serre la main. Et le lendemain, chaque clan reviendra à la charge avec son bagage de nouvelles réclamations. Pour le mariage, la balle est cette fois dans le camp de la future mariée. « Par les temps qui courent, elles montent les enchères très haut », me confie un ami, marié depuis un an, qui est passé par là. « C'est une sorte de laisse qu'elles nous mettent autour du cou, pour nous retenir d'aller prendre une maîtresse. Ça nous coûterait en effet trop cher… » explique-t-il crûment. Il y a aussi celles, dit-il, qui font de la consommation immédiate de leur *méhrié* une des conditions de leur contrat de mariage. Rusé.

Sepideh, elle, s'en est bien sortie : mille pièces d'or, à dépenser à tout moment. Mais le gros lot qu'elle emporte dans la foulée n'est pas réjouissant : une belle-mère très bavarde, très possessive à l'égard de son fils, donc potentiellement très jalouse de sa belle-fille. « Se marier en Iran, glisse Sepideh, c'est épouser une famille tout entière, jusqu'au cousin le plus lointain. Mieux vaut se renseigner à l'avance ! » À en gâcher jusqu'à la « lune de miel ». « Sepideh *azizam* », glisse ce jour-là belle-maman à la fin de la noce, « voici la liste des souvenirs à rapporter de vos vacances en amoureux ! » Sympa, le voyage de noces : il va falloir passer les quatre jours de « découverte » du conjoint quasi étranger – mission déjà difficile – à faire le plein de safran et de pistaches. En Iran, le syndrome de la belle-mère semble être si répandu que les bonnes librairies de Téhéran proposent des livres de conseils sur les relations avec la belle-famille. Même pour les préparatifs de la noce, il a fallu suivre les caprices de madame *mâdar é chohar* (« belle-maman ») qui a voulu tout choisir : la forme de la robe – avec un décolleté tellement plongeant qu'il frôle le vulgaire, les cartes de visite sur papier rose acidulé, kitschissime, la Mercedes empruntée à un membre fortuné de la famille, entièrement recouverte de fleurs, le fameux photographe – limite antipathique – et, clou de la soirée, le cameraman !

Divorces en hausse

Devant le tribunal des affaires familiales, dans le sud de Téhéran, la queue ne désemplit pas. Battues, séquestrées, délaissées par leur mari parti avec une seconde femme, les Iraniennes qui attendent patiemment leur tour cachent sous leur tchador des histoires lourdes à raconter. Au fil des années, la demande de divorce s'est « détabouisée », même si elle reste mal vue par la société. D'après le Code civil, les Iraniennes peuvent demander la séparation si elles sont en mesure de prouver que leur mari les a négligées financièrement ou sexuellement, ou qu'il est toxicomane – un vrai problème au pays de l'opium – ou violent. Ça, c'est ce qui est écrit sur le papier. Mais en Iran, où les lois sont suffisamment floues pour être propices à l'arbitraire, tout dépendra finalement du bon vouloir du juge. En plus, la violence conjugale s'exerçant au sein du foyer, elle est souvent difficile à prouver.

(…)

Pas de mariage typiquement iranien sans chef opérateur. La vidéo de la fête, c'est la « vitrine » du couple. Pendant des années, les amis auront systématiquement droit à sa diffusion lors d'une invitation au nouveau logis conjugal. On ne peut pas faire plus soporifique : zooms avant sur le buffet, fondus enchaînés entre deux poses des tourtereaux au coucher de soleil, musique d'aéroport grossièrement mixée avec de la techno pop sulfureuse de Los Angeles. « *Foghorodé !* » (« Formidable » !) se contenteront de s'exclamer les invités, dans l'hypocrisie la plus totale.

Et bien sûr, une fois que se sera installée la routine du couple, place à la question refrain : « Pour quand le bébé ? » En cas de non-procréation l'année qui suit la noce, les rumeurs commenceront à aller bon train. La mariée serait-elle malade ? Le couple se porte-t-il bien ? Peut-être qu'ils ont un problème, euh, sexuel ? Mais ce soir-là, les yeux gonflés de larmes, et le mascara dégoulinant le long des joues, Sepideh préfère ne même pas y penser.

Mariages à la chaîne

À l'entrée de la grande bâtisse de verre et de béton, il faut d'abord faire la queue pour récupérer son sandwich poulet mayonnaise. Distribué dans des sacs en plastique décorés de deux oiseaux qui se bécotent, allusion pudique aux feux de l'amour, c'est le repas de centaines de jeunes couples venus fêter, tout au long de la « Semaine de l'union », leurs noces dans ce gigantesque amphithéâtre. Le mariage collectif : un concept qui fait fureur en Iran, de même qu'en Égypte et au Pakistan. En France, il donnerait de l'eczéma aux futures épouses. Imaginez une salle remplie à craquer de couples, tous affublés de la même tenue – en l'occurrence, un long tchador blanc pour la mariée et un costume noir pour son conjoint. Pas vraiment romantique. Chaque soir – et pendant une semaine – 500 nouveaux couples y sont fêtés et 4 000 invités y sont conviés : une usine à mariage.

L'évènement part d'un sentiment honorable : éviter aux familles peu aisées les dépenses faramineuses que nécessite une fête de noce en Iran, et qui poussent de plus en plus de jeunes à renoncer à se marier. « Aider financièrement ces mariés, c'est sauvegarder les valeurs de la famille », m'explique fièrement Mohammad Ali Vakili, un des responsables de cette opération annuelle, lancée il y a presque dix ans, parrainée par le guide suprême et sponsorisée, entre autres, par le ministère de l'Éducation supérieure. Vu la crise économique, le succès est garanti. Même si l'intimité n'est franchement pas au rendez-vous et si les animations proposées sont d'un goût bien particulier.

Ici, tout se fait en groupe. Il y a d'abord la photo du jour. Pour immortaliser la fête, les couples posent chacun leur tour devant un décor rétro de gros cœurs rouges, entourés par des bouquets de fleurs artificielles. « On pourra l'accrocher dans le salon, juste au-dessus de la télévision », glisse à sa dulcinée un jeune époux aux mains moites d'émotion. Selon une tradition bien ancrée dans certaines familles religieuses, s'y

(…)

Une fois le divorce obtenu, au prix de laborieuses démarches, il faut se battre pour la garde des enfants. Légalement, la mère ne peut garder sa fille ou son fils que jusqu'à l'âge de 7 ans. Si elle se remarie, elle perd automatiquement ce droit. Pire : à aucun moment, la mère ne peut être la tutrice de ses enfants. Cette fonction revient au père, ou au grand-père paternel. Concrètement, cela signifie que pour toute décision concernant l'enfant (hospitalisation, voyage à l'étranger, etc.), la mère doit d'abord obtenir l'accord de son ex-époux. En fait, les femmes ont la possibilité de poser certaines conditions, avec l'accord de leur mari, dans leur contrat de mariage. Mais malheureusement, rares sont celles qui le savent.

grefferont, au fil des années, le cliché pris devant le mausolée de l'imam Reza – très kitsch, mais si prisé, où l'on peut même demander au photographe de *photoshopper* un Bambi ou un Mickey, si, si ! – et la galerie de portraits des petits poussins à venir.

Une fois passé le gros coup de flash à vous donner l'air d'avoir atteint *rigor mortis* depuis plus de 36 heures, vient ensuite la lecture collective du Coran, qui précède un programme plus « entraînant » : un concert de musique pop – islamiquement correct – où un jeune chanteur rend hommage à l'imam Ali, au rythme de jets de lumière qui viennent caresser les visages des mariés. Arrive enfin le « clou » de la soirée : un spectacle de « mouvements harmonieux » (*Harékat-é mozoun*). C'est ainsi que les Iraniens appellent diplomatiquement ces petits mouvements de gymnastique, venus remplacer la danse, interdite depuis la révolution islamique. Coincés dans leurs fauteuils, les mariés se contentent de regarder. Un jeune couple à l'air enamouré profite de la pénombre pour se tenir par la main. Une audace incroyable, à peu près aussi intrépide que de coucher en France avec son patron au bureau en pleine journée. Attention, le petit bisou reste proscrit en public. Entre chaque animation, il y a des lots à gagner. Les plus chanceux repartent avec un réfrigérateur, une télévision ou un radiocassette. Pour les autres, il y a toujours le lot de consolation : un portrait de l'ayatollah Khomeini, père de la révolution islamique, gravé sur une pièce d'or !

Allez, félicitations aux jeunes mariés…

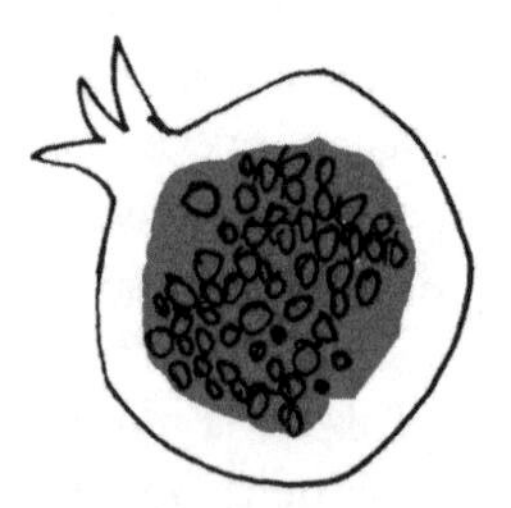

Visa temporaire pour l'amour

En matière sexuelle, le clergé chiite semble décidément avoir réponse à tout. Une tradition millénaire consiste à satisfaire ses désirs en contractant un *sighé*, c'est-à-dire un mariage temporaire pour une durée déterminée à l'avance : 7 heures ou 77 ans ! Au fond, une démarche parfaitement hypocrite qui sert de couverture à la prostitution et l'adultère... À l'époque, dit-on, elle permettait aux voyageurs et pèlerins de « pécher » en toute bonne conscience lorsqu'ils restaient trop longtemps loin du foyer. Aujourd'hui, le *sighé* répond à certaines règles précises : l'épouse « temporaire » ne doit pas être vierge, elle doit donc être veuve ou divorcée. Quant au mari, il peut faire un *sighé* même s'il est déjà marié – la polygamie, parfaitement légale, autorisant chaque Iranien à avoir jusqu'à quatre épouses. Une fois de plus, c'est l'homme qui est avantagé.

N'empêche, la nouvelle génération y trouve son compte. « Contre l'équivalent de 40 euros, tu peux acheter ton *sighé* chez un mollah qui fermera les yeux sur toutes les conditions préalables», me confie une amie. Chez de nombreux jeunes Iraniens qui, officiellement, n'ont pas le droit de se fréquenter avant le mariage, l'astuce est parfaitement rodée. Une fois prononcées à la va-vite quelques formules du Coran, le religieux signe un bout de papier, permettant à un garçon et une fille de se fréquenter en toute tranquillité. Et hop ! Munis de leur papier magique, ils sont, sans avoir à craindre les foudres d'Allah, autorisés à aller copuler dans une chambre d'hôtel. Sans craindre non plus une descente de la police des mœurs. Bien sûr, tout le monde ferme allégrement les yeux.

Ce n'est pas tout : un éminent politicien iranien, et ancien Président de la République islamique, l'ayatollah Hachémi Rafsandjani, a même, par le passé, ouvertement cautionné le principe du *sighé*. Au sortir de la guerre Iran-Irak, il s'est fait l'avocat de la chose. Raison avancée : encourager la satisfaction des besoins sexuels des veuves de martyrs du

Une justice lapidaire

C'est l'une des tristes réalités du quotidien des Iraniennes. Face à l'adultère, l'homme est « protégé », car il peut invoquer le fameux mariage temporaire, lui permettant de contracter une relation « officielle » avec n'importe quelle femme. Mais, comme dans bien des cas, la réciproque ne fonctionne pas pour le « second sexe ». En Iran, l'infidélité, tout comme la relation sexuelle avant le mariage, est un crime passible de la peine de mort. Une Iranienne accusée d'adultère finira au mieux avec des coups de fouet, au pire au crochet d'une grue. Malgré la promesse récente des autorités d'un moratoire sur la lapidation, cette pratique archaïque est également toujours en vigueur en province pour punir les Iraniennes infidèles.

conflit. Il est revenu plus tard à la charge, en suggérant, cette fois-ci, que les jeunes puissent s'adonner aux plaisirs de la chair en toute légitimité islamique. Autant dire que ces propositions ne font pas l'unanimité chez les oulémas. Mais elles symbolisent, à leur façon, la vitalité – certains diront l'absurdité – du débat religieux qui prévaut dans les sphères du chiisme. Pécher avec la bénédiction divine, on en connaît qui se convertiraient pour moins que ça. Amen.

La tyrannie du pintadeau

Dîner gâché pour cause de fiston capricieux. Une fois de plus, le chérubin de service a imposé sa loi, dévorant les pistaches, grimpant sur les chaises et colorant de jus de grenade le beau canapé blanc. Nargess avait pourtant promis aux invités que, cette fois-ci, son petit chéri serait couché en temps et en heure. Et puis, il a suffi d'un léger sanglot, perçu au travers de la porte de sa chambre à coucher, pour que les bonnes résolutions partent en fumée. Avec, en guise d'excuse, un « *Kheyliiiii bebakhchid !* » (« Vraiment désolée ! »), lancé à la cantonade.

C'est plus fort qu'elles : les Téhéranaises sont de vraies mères poules. À peine échappé du berceau, le bébé iranien vit souvent ses caprices sans aucune restriction : boire du Coca-Cola au biberon, s'endormir à 2 heures du matin, tirer les cheveux des copines de maman. Pour la forme, on lui tapote sur la main. Mais s'il s'aventure à pleurer, le voilà couvert de baisers. Car maman ne saurait endurer les souffrances de son petit chéri. « Vous savez, il est si mignon d'habitude ! » se fait-on expliquer quand, le pantalon bleu recouvert de crème au chocolat renversée par le petit monstre, on laisse entrevoir un certain agacement. À peine le temps de passer à la salle de bains qu'on se retrouve, en prime, avec un demi-masque, généreusement offert par le bisou crémeux dudit monstre, qui tente vainement de se faire pardonner par les convives.

Difficile dans ces conditions de corriger les mauvaises habitudes. D'autant plus qu'elles se répètent à longueur de journée. La mère iranienne étant souvent une mère au foyer, rares sont les *batchéhâ* (enfants) qui ont l'expérience d'une nounou ou d'une autre forme d'autorité. À part celle du papa, souvent trop exténué quand il rentre du travail pour réprimander Junior.

Culture orientale oblige, un fils sera généralement plus chouchouté qu'une fille. La vaisselle ? La cuisine ? Le repassage ? Autant de mots inconnus pour le jeune Iranien, qui savoure ses plats préférés sans jamais mettre la main aux fourneaux. Les Iraniennes ne seraient-elles pas, aussi, les artisanes de la fabrique à machos ? À en croire le directeur d'une grande compagnie pétrolière européenne, bien implantée à Téhéran et employant des centaines d'Iraniens, cette théorie tient la route. « Ils sont, dit-il, très compétents en individuel. Mais quand ils travaillent en équipe, c'est la catastrophe ! » D'après lui, c'est au berceau qu'il faut trouver la raison : « Dès le plus jeune âge, ils ont pris l'habitude d'être le centre d'intérêt, de n'en faire qu'à leur tête ! » Autre travers des Iraniennes, selon une pédiatre de Téhéran : « Parfois, elles allaitent leur fils jusqu'à l'âge de 2 ans ! C'est pas très bon pour la santé, car ça peut provoquer des carences. » Pire : « Ça entretient un rapport à la mère qui n'est pas très sain… » Il suffit d'assister à quelques scènes de ménage bien pimentées pour comprendre ce qu'elle insinue. Quand ça chauffe dans un couple iranien, le mari ne menace pas de faire ses valises pour aller à l'hôtel. Non, le refrain est tout autre : « Je retourne chez maman ! »

Pas étonnant, après tout. L'Iranien ne connaît pas la vie de célibataire. À l'exception d'un microcosme occidentalisé, il vit chez papa et maman – quel que soit son âge – jusqu'au mariage. Sans aucune phase transitoire, le voilà qui saute du cocon parental au confort d'une vie de couple, où toute bonne épouse qui se respecte veillera à lui offrir l'attention nécessaire. « Nous n'avons qu'à nous en prendre à nous-mêmes », reconnaît une copine, après m'avoir déballé sa liste de doléances contre son mari : les chemises qui traînent, la vaisselle à laquelle il refuse de toucher, la télévision qu'il regarde toute la soirée. « C'est plus fort que nous. On a le don de nous sacrifier pour les autres, et surtout pour nos maris. Il faut toujours que la maison soit parfaitement propre, que le dîner soit prêt à temps, que notre mari soit heureux. » Mères poules, les Iraniennes ? C'est pas les pintades qui diront le contraire.

Petits arrangements avec la censure

Téhéranaises sur orbite

Syma est dans tous ses états. C'est un drame, presque une tragédie. « Au secours, j'ai raté la fin du vidéoclip de Mansour ! » La faute à son antenne satellite qui a encore des hoquets ! Sur l'écran plat de sa télévision dernier cri, la silhouette de son crooner en exil préféré, chemise blanche à la BHL révélant un bronzage ambré par le soleil californien, est en train de se décomposer en milliers de petits cubes. Il va encore falloir appeler *Kâk Satellite* (monsieur Satellite) pour le supplier de venir « *zoud, zoud, zoud* » (vite, vite, vite) pour chasser les parasites qui brouillent les images de son téléviseur. Chez Syma – et chez toutes les autres groupies de Mansour, soit les trois quarts de la population –, le numéro de portable de l'installateur de paraboles clandestines figure aux premières loges sur le réfrigérateur de la cuisine, juste à côté des numéros d'appel d'urgence, de la police et du livreur de pizza.

Officiellement, l'importation, la distribution et l'usage des paraboles sont interdits en Iran. Ah ah ah, il suffit d'observer, en plein jour, depuis l'une des nombreuses tours de verre et d'acier qui surplombent la capitale, les assiettes qui dépassent des toits de Téhéran, pour réaliser que la plupart de ses habitants sont ouvertement en infraction. N'allez pas me demander comment les antennes débarquent en Iran, on trouve décidément de tout, en République islamique. Ce qui est sûr, c'est qu'il n'y a rien de plus simple que de se faire installer le câble à domicile.

Un coup de fil sur un portable et, quelques heures plus tard, un monsieur charmant débarque avec ses acolytes. Muni de son petit ordinateur magique, ce génie de l'informatique vous installe, ou plutôt pirate, un bon millier de chaînes étrangères, pendant que ses ouailles passent le ciment autour de la parabole, pour qu'elle reste sagement en place sur votre terrasse en cas d'orage. France 24, TV5, CNN, BBC, formidable ! Le monde redevient soudainement à portée de main. Ça fait toujours du bien de retrouver la vraie voix d'Alain Delon – il parle un farsi impeccable sur la télévision d'État iranienne. Et de revoir Romy Schneider en maillot de bain – les films occidentaux subissant le hachoir de la censure avant d'être montrés au grand public. Bon, ça, c'est pour les nostalgiques de la France, ceux qui y ont fait leurs études avant de revenir au pays.

Mais les Téhéranaises de Téhéran, elles, ont d'autres chaînes de prédilection : les fameuses télévisions de Teherangeles – contraction de « Tehran » et de « Los Angeles », *the capital of the diaspora* iranienne aux États-Unis. Channel 1, Tapesh, PMC, Jaam-e Jam, ICC, Didar, Voice of America, on en compte une bonne grosse douzaine. Diffusées clandestinement depuis la Californie, et dirigées pour la plupart par d'anciennes stars du *show-biz* iranien en exil, elles offrent un choix illimité de talk-shows, de vidéoclips sulfureux, et de vieux films des années 60 où les actrices buvaient de la vodka en minijupe.

Pas surprenant que ces derniers plaisent tant aux Téhéranaises, et aux Téhéranais, quand on les compare aux films iraniens d'aujourd'hui et à toutes ces belles comédiennes qui y sont cachées sous leur foulard, même quand elles se brossent les dents et qu'elles vont se coucher ! Dans le genre absurde, ce sont les longs-métrages sur la guerre Iran-Irak, rediffusés en boucle sur le petit écran, qui décrochent la palme d'or : une mère qui accueille son fils de retour du front ne peut ni l'embrasser ni l'enlacer, au nom de la morale islamique et de la censure cinématographique ! La télévision d'État est spécialiste des programmes religieux et des bulletins d'information retransmettant le énième discours de Mahmoud Ahmadinejad dans un stade de province. Alors, c'est vrai que la chaîne officielle tente actuellement une opération de séduction vers les jeunes en multipliant les sitcoms à la sauce iranienne, généralement des histoires d'amour contrariées par des intérêts familiaux et des histoires d'espionnage, le tout sous tchador. Mais la métaphore de déclarations d'amour enfoulardées, plutôt soporifique ! Le comble du ringard : les pubs pour la marque de savon iranienne, l'huile de friture et la sauce tomate, rythmées par une petite mélodie rappelant les comptines d'une cour de récréation.

Si les Téhéranaises sont abonnées au satellite, c'est d'abord parce qu'en matière de programmes, elles ont, à l'inverse des six chaînes étatiques, l'embarras du choix. Il y a évidemment les intarissables fans de musique qui laissent la télévision branchée sur PMC du matin au soir. On y voit défiler tout le gratin de la pop iranienne : les anciennes stars de l'époque du Chah, comme la fabuleuse Gougouch, Dariouch le ténébreux ou encore Faramarz Asiani. Et puis toute la clique du nouveau cru : Leyla Forhouhar, Arach et le Don Juan de ces dames, j'ai nommé Mansour ! Une sorte de Patrick Bruel à l'iranienne, en sérieusement plus ringue. La trentaine, une chemise blanche ouverte jusqu'au nombril, les cheveux mi-longs et bouclés, une barbe faussement négligée. Pas la peine d'essayer de comprendre ses chansons : elles parlent toutes d'amour, d'amour et d'amour. Le genre « Je t'aime, va-t-en, reviens ! » Les Téhéranaises en sont folles !

S'il leur arrive de zapper, c'est souvent pour l'émission du docteur Mazaheri, le gourou de la chaîne Didar. Depuis son petit studio télévisé californien, il soigne par téléphone les multiples bobos des Iraniennes, qui l'appellent des quatre coins du monde, y compris de Téhéran. Ce médecin à la voix cassée de fumeur de Gitanes et à la peau tellement liftée que ses yeux s'étirent jusqu'aux oreilles a réponse à tout. Et comment se libérer d'un mal de tête, et comment lutter contre l'insomnie, et comment perdre du poids. Elles aiment ça, les Téhéranaises. Ça les rassure.

Il fut un temps où elles n'auraient raté pour rien au monde les fameux talk-shows politiques, où les spectateurs iraniens sont invités à contacter le présentateur, depuis Téhéran, et à vider allégrement leur sac en direct, sur la difficile condition des femmes, la crise économique et le climat répressif. À plusieurs reprises, les Téhéranaises sont même descendues dans les rues pour manifester à l'appel de certains présentateurs de ces télévisions de l'opposition en exil. Mais à force de se prendre des coups de matraques, pendant que leurs vedettes du petit écran se contentaient de répéter des slogans depuis leur confortable fauteuil californien, elles ont fini par bouder ce genre de programmes. À l'exception, bien sûr, de l'incontournable Alireza Nourizadeh, perçu comme un fin spécialiste de géopolitique, sur Channel 1, et de l'illustre Ahmad Baharlou sur Voice of America. Cette chaîne demeure, de loin, la plus sérieuse et l'une des plus regardées. Mais les fonds qu'elle reçoit de Washington ne sont pas sans ébouriffer les turbans des mollahs.

Comme par hasard, la police s'est à nouveau mise à organiser des rafles depuis que ses heures de diffusion ont été rallongées en 2006. Il lui arrive ainsi de débarquer, sans crier gare, dans un quartier, et de saisir violemment toutes les antennes « paradiaboliques » qui dépassent des toits. Les Téhéranaises en ont vu d'autres, et elles ne daignent même plus s'en offusquer. Si les gardiens de la morale islamique ont le malheur de leur arracher leur parabole, elles savent qui appeler. *Kâk Satellite* se fera un plaisir de venir remplacer leur antenne dès le lendemain, en échange de quelques billets verts.

Dans les coulisses du Bloguistan

La Téhéranaise branchée est une Téhéranaise « bloguée ». En lançant son journal électronique pendant la campagne électorale française, Ségolène Royal n'a rien inventé. Bien avant elle, quand le petit mot provoquait encore d'étranges froncements de sourcils à Paris, des milliers d'Iraniennes avaient déjà trouvé la clef d'accès au Bloguistan. Normal, cette province virtuelle d'au moins 700 000 âmes iraniennes est un exutoire idéal pour cracher sur le pouvoir, raconter sa vie sexuelle, et livrer ses impressions sur la dernière vidéo vendue au marché noir. Sans limites et dans l'anonymat le plus total.

Sur la page d'entrée de son cyberjournal *Ayene* (*Le Miroir*), une jeune poétesse annonce la couleur : « Liberté ! » Le mot, traduit dans une multitude de langues, défile sur l'écran au rythme d'une douce mélodie. Puis cède la place à quelques vers poétiques, une tradition bien iranienne pour exprimer métaphoriquement ses émotions. « Pour l'amour, pour la liberté, il existe une multitude de chemins… » suggère-t-elle en lettres persanes. Qu'elles soient étudiantes, lesbiennes, femmes au foyer ou islamistes, la plupart des blogueuses ont opté, comme elle, pour le pseudonyme : « Madame la Prune », « Maryam la Fleur », « Madame Soleil », « L'épouse », « Être une fille ». Réinvention d'une identité pour mieux se lâcher…

En Iran, le blog est avant tout une meilleure amie à qui l'on confie ses secrets. On y parle, en toute franchise, sentiments, cinéma, livres, dépression, problèmes de couple et de divorce. Bref, tout ce qui s'apparenterait aux « petites choses de la vie » dans n'importe quel autre pays. Mais qui relève d'un défi permanent aux traditions conservatrices. Grâce au blog, l'Iranienne se « masque » pour ensuite se mettre « à nu ». Une excellente cachette, donc, pour aborder tous les sujets qui fâchent. À commencer par le tabou des rapports sexuels. « Coucher avec n'importe quel homme ? Ce n'est pas un problème », lâche une blogueuse, sous pseudo. Son blog, entièrement dédié au récit de ses ébats sexuels, vient briser le sacro-saint tabou iranien de la virginité avant le mariage…

Ah, le Web, friche anarchique sans code de conduite ni mœurs particulières à respecter. « Je suis lesbienne, mais je suis avant tout un être humain », affirme, en lettres bien grasses, une autre accro à la Toile. Son journal, c'est son défouloir. « Je suis honnête mais têtue. Je m'oppose aux traditions et aux idées archaïques », écrit-elle. Refuge des minorités sociales, mais également ethniques. « La vie devient de plus en plus difficile au Kurdistan. La ville de Sanandadj et ses environs manquent de gaz. Où sont nos politiciens qui se disent être les serviteurs de la Nation ? » s'enflamme, sur son blog, une membre de la minorité kurde d'Iran, à l'ouest du pays. Les lecteurs, fatigués des éternelles litanies gouvernementales diffusées sur la télévision d'État, se pressent aux portes. Le blog peut très facilement virer au politique. C'est également une arme idéale contre la censure.

En janvier 2007, les Iraniennes en ont fait la meilleure expérience. Alors qu'elles s'apprêtent à s'envoler pour New Delhi où elles doivent assister à une conférence, trois activistes féministes se font arrêter à l'aéroport Imam Khomeini et jeter derrière les barreaux de la prison d'Evin. Branle-bas de combat sur le Net. Telle une étoile filante, la nouvelle fait le tour des journaux électroniques. « Talat Taghinia, Mansoureh Chojai et Farnaz Seyfi ont été arrêtées. Faites passer l'information », alertent en une des dizaines de webzines. En un éclair, l'information arrive aux oreilles de la presse internationale et des organisations de défense des droits de la femme. En moins de 48 heures, les trois Iraniennes sont finalement libérées. En d'autres temps, où l'information restait facilement étouffable, leur histoire aurait été tenue au plus grand secret. Et leur sort largement plus incertain.

Rançon du succès, la mobilisation virtuelle n'est pas sans risque. À l'automne 2004, une dizaine de cyberjournalistes se sont retrouvés au cachot pour s'être trop « lâchés » dans leurs écrits. Depuis, les autorités ne cessent de bloquer, au compte-goutte, des milliers de blogs et de sites. Au début de l'année 2007, nouvelle offensive gouvernementale : les blogueurs sont, cette fois-ci, sommés de faire enregistrer leur nom, sous peine d'être filtrés. Combat perdu d'avance : dès le lendemain, Parastou, une des plus

Les sites féministes incontournables

www.we-change.biz
Le site qui héberge la pétition « Un million de signatures », réclamant plus d'égalité entre hommes et femmes.

www.meydan.com
Ce site milite particulièrement en faveur de l'abolition de la lapidation, dont continuent d'être victimes certaines Iraniennes accusées d'adultère.

www.herlandmag.net
Une multitude d'informations et d'articles sur la difficile condition de la femme en Iran.

contestataires du Web, fait un pied de nez à cette nouvelle directive en ajoutant un bandeau sur le côté droit de son journal électronique, frappé d'un « Je n'enregistrerai pas mon site ! »

Très vite, d'autres blogueuses emboîtent le pas en dénonçant une « directive puérile ». Parfois, un site peut être, en effet, bloqué, seulement parce qu'il contient le mot « sexe » ou « femme ». « C'est ridicule », s'énerve une blogueuse révoltée. « *Quid* d'une gynécologue qui a besoin de faire des recherches sur Internet ? » s'insurge-t-elle. Espiègle dans l'âme, cette jeune pro du Web a appris, comme ses camarades des sites féministes les plus en vue (Zanestan, Meydaan, We-change…), à créer une nouvelle adresse à chaque fois que la censure s'abat sur son blog, et à en informer ses lecteurs par email. Quand elles tâtent du clavier, les Téhéranaises s'avèrent être de vrais petits génies de l'informatique. Respect !

Ironie du sort : le virus de la Toile a fini par contaminer… la classe politique iranienne. Du président Ahmadinejad au Guide suprême, l'ayatollah Ali Khamenei, ils ont tous leur blog. Tout le monde y trouve finalement son compte. Même les plus malins ont compris la combine. On raconte que certains blogs aux apparences féminines seraient, en fait, tenus par des hommes. Un moyen idéal de chasser discrètement l'âme sœur, dans un pays qui a fait de la non-mixité un pilier de la morale publique.

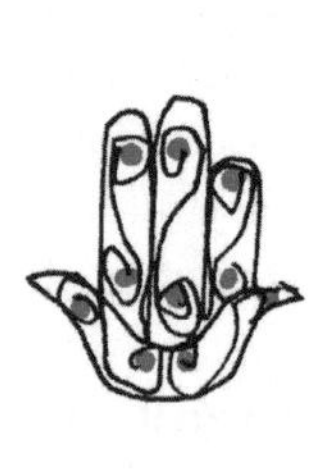

« ELLE is no good »

Aéroport Mehrâbâd, un petit matin d'hiver. L'avion en provenance de Paris, qui vient d'atterrir avec du retard, déverse ses nombreuses passagères au foulard d'imitation Chanel et Vuitton. Elles ont l'air fraîches comme des roses. De quoi agacer les femmes flics de la sécurité, engoncées dans leur tchador. À tous les coups, les plus peinturlurées vont se faire pincer. Eh bien non : leurs grosses valises, passées sous rayons X, retrouvent sans encombre les chariots rouillés qui glissent péniblement jusqu'aux coffres des taxis jaunes. C'est en revanche mon humble sac gris, assorti à mon discret voile, qui retient l'attention. Je m'attends à ce qu'on m'interroge, une fois de plus, sur le matériel de travail que je transporte : enregistreur, appareil photo, ordinateur. Mais c'est un autre objet qui provoque, cette fois-ci, la foudre des douaniers.

« *Elle is no gooood! Elle is no gooood!* » rugit un garde en uniforme kaki en brandissant le magazine féminin préféré de mes copines iraniennes, que je rapporte traditionnellement à chaque retour de Paris. Muni d'un gros marqueur, le voilà qui se met à dessiner des bourqas noires sur la tête des jolis mannequins, à déchirer les publicités pour lingerie fine et à couper au ciseau les seins qui dépassent. « *No goooooooood !* » insiste-t-il, furieux.

Moi qui pensais que les « censeurs », étranges oiseaux qui gravitent souvent dans les zones moyen-orientales, étaient devenus des espèces rares. J'aurais dû y penser : même la belle chevelure de la douce Chéhérazade, qui pose sur les boîtes de thé éponymes, n'a jamais gagné un centimètre en dehors du foulard obligatoire qui entoure son visage depuis l'arrivée des religieux au pouvoir, en 1979. Et, il n'y a pas si longtemps, c'est Miss France en tenue de nonne et les filles du Lido habillées d'un plaid bleu foncé que j'ai retrouvées dans ma boîte aux lettres. La poste iranienne se charge systématiquement d'ouvrir l'hebdomadaire d'actualité française auquel je suis abonnée pour relooker les starlettes de cinéma, dessiner des collants noirs aux danseuses étoile, et recouvrir Isabelle Adjani d'un voile noir ! Ce jour-là, mon *Elle* déplumé sous le bras, j'ai l'impression de rentrer bredouille dans mon appartement de Téhéran. Les copines vont être déçues. La mode d'hiver en bourqa, pas très sexy !

Zanan, la femme est l'avenir de l'homme

Le poster qui trône à l'entrée de la rédaction de *Zanan* (*Femmes*) est de loin la meilleure introduction au mensuel féminin le plus populaire du pays (vendu à 20 000 exemplaires), l'équivalent iranien de notre *Femme actuelle*, pour vous donner une idée. On y voit le visage d'une femme voilée. Collé sur sa bouche, un sparadrap s'entrouvre... Parler, s'exprimer, suggérer, bref, informer les lectrices sur elles-mêmes, c'est l'objectif que s'est fixé il y a plus de dix ans Chahla Cherkat, sa fondatrice. Mais avec une règle d'or qui, jusqu'ici, lui a permis d'éviter les coups de ciseaux de la censure : préférer la discrétion à la provocation.

Ce n'est pas une héroïne, Chahla Cherkat, dans son voile et son manteau sombres. Rien à voir avec certaines pasionarias, qui se retrouvent au cachot pour avoir dénoncé ouvertement la dictature des religieux, la torture psychologique et les assassinats. Dans son magazine à la maquette un peu ringarde et aux photos en noir et blanc, vendu en kiosque et par abonnement, elle s'intéresse, avant tout, aux Iraniennes d'en bas, celles qui ne font pas la une des journaux étrangers, celles qui se battent au quotidien pour le droit de garder leur enfant, pour un morceau de pain, pour un morceau de vie. Elle les présente sous forme de reportages et de témoignages parfois anonymes. Elle leur donne l'occasion d'exposer leurs problèmes à travers un courrier des lectrices laissant la place aux questions de sexualité, de relations conjugales, de maternité. « Le plus important, pour nous, c'est d'aider les femmes à avoir une vie meilleure, sans le crier sur tous les toits », répète sans cesse Chahla Cherkat. Pas question, donc, de rédiger des pamphlets enflammés contre le foulard islamique ou de dénoncer ouvertement la *charia* (la loi coranique). Elle préfère évoquer, plus subtilement, les questions fondamentales de la société iranienne d'aujourd'hui : la prostitution, la drogue, la discrimination au travail.

Ni militante, ni soumise, Chahla Cherkat est de celles qui préfèrent avancer dans le cadre du système politico-religieux en vigueur. Trop conservatrice ? C'est ce que lui reprochent certaines

Téhéranaises. Mais d'autres s'accorderont sur le fait qu'en Iran, pour survivre, il faut avancer « par petits pas ». Surtout quand on est journaliste, donc confrontée à des règles aux contours si flous que la censure vous guette à tout moment. Selon la loi en vigueur, les interdictions sont claires : ne pas insulter le régime, ne pas critiquer le guide suprême, ne pas mettre en péril la sécurité de son pays. Mais le reste est soumis à l'arbitraire. En Iran, les reporters de *Zanan* vous diront donc que le problème, c'est la façon dont les règles sont interprétées par les gardiens de l'ordre, par la police, par le juge. Mais aussi par ces groupes de pression parallèles – *bassidji*, *hezbollahi* – qui, sur un coup de tête, peuvent décider de vous arrêter dans la rue, de saisir votre matériel, de briser la vitre de votre voiture et de vous voler tous vos documents... Et pourtant, obstinée et téméraire, l'équipe de *Zanan* poursuit son bout de chemin en cherchant à pointer des injustices, sans tirer de conclusions globales qui pourraient heurter les cercles d'en haut. Comme ce reportage incroyablement fouillé de la journaliste Assieh Amini sur le cas récent de cette jeune villageoise mineure condamnée à la lapidation pour adultère. À la limite des lignes rouges, entre le tolérable et l'interdit.

Échappées métaphoriques : pintades soufies

C'est un truc très persan qui colle à la peau des Téhéranaises. Qui coule dans leurs veines, pourrait-on même dire ! Un moment d'attente dans les embouteillages, un dîner qui touche à sa fin, une balade dans un parc, et elles vous déclament quelques vers, comme une bonne copine, à Paris, vous annoncerait la météo du lendemain. Les plus passionnées organisent même parfois leurs propres cercles privés, au sein desquels elles lisent à haute voix leurs écrits personnels. Ici, au-delà de sa force littéraire, le poème est bien souvent un refuge, une façon de s'affranchir de la pensée officielle. D'où l'engouement pour la poésie sensuelle et érotique de Forough Farrokhzad, la grande poétesse du XXe siècle, décédée en 1967. D'où, aussi, cette admiration sans bornes pour Simine Behbahani, courageuse octogénaire, militante des droits de la femme, et poétesse de la liberté.

Ce recours à la parabole pour évoquer toutes sortes d'idées subversives est, en fait, une vieille méthode iranienne, un principe déjà bien rodé à la cour des rois de Perse où, pendant des siècles, les poètes offrirent un point de vue alternatif à celui des rois absolutistes et des religieux réactionnaires. Il y a plus de 700 ans, Omar Khayyam, scientifique et poète athée écrivait ainsi sur le caractère éphémère et inconstant de la vie, et le moyen d'y remédier à travers le vin, l'opium et l'amour. Rumi, lui, évoquait en son temps la sagesse et le rapport de chacun à son Dieu. Quant à Hâfez, il ne se gênait pas pour critiquer les religieux hypocrites qui fustigeaient les citoyens en public et buvaient de l'alcool en privé. Dans sa bibliothèque, chaque Téhéranaise qui se respecte dispose du recueil d'au moins un de ces trois poètes. Un soir de pluie ou de déprime, et elle passera sa soirée à en parcourir les pages, un verre de vin de grenade-maison à la main.

L'art perce sous le voile

Jour de vernissage, un vendredi après-midi, à la galerie de Lili Golestan, l'une des plus en vue de Téhéran. Comme toujours, la petite salle principale est comble. C'est devenu, au fil des années, la tanière des artistes engagés, un lieu que l'on aime fréquenter, parce qu'il vibre d'idées nouvelles. Ce jour-là, cette femme de tête au châle qui tombe sur les épaules et au flair redoutable a encore frappé fort. Sur les murs, on découvre des peintures lourdes de chagrin, de colère, de pensées macabres. Elles font mal à regarder. Ici, sur un fond noir, une colombe blanche porte une tête de mort. Là, des gouttes de sang rouge s'échappent des mains ligotées d'un personnage représenté de dos. Partout, des fils de fer barbelé, des murs trop hauts, trop froids, trop sombres. Ils dégagent une sensation d'isolement et d'enfermement.

Et puis, cette lettre en persan, collée juste à l'entrée. « Les tableaux que vous voyez ici ne sont pas des images et des couleurs muettes. Ce sont les véritables et douloureuses photographies de notre vie », peut-on lire. À la fin, une signature, Delara Darabi, artiste de 20 ans. Date : 8 octobre 2006. Lieu : la prison de Racht. Accusée de meurtre, la jeune Iranienne attend sa pendaison, dans ce centre de détention du nord de l'Iran. Exposer ses œuvres, à brut, dans un quartier huppé du nord de Téhéran, c'est sensibiliser discrètement une partie de la capitale à une terrible réalité, celle de la peine de mort. C'est suggérer, sans faire de bruit, qu'on y est opposé et qu'on aimerait bien que ça change. Résistance audacieuse, mi-artistique mi-politique, et tout en catimini, aux règles figées de la République islamique.

Du Lili Golestan tout craché. Elle est comme ça, cette passionnée d'art, la soixantaine, visage rond traversé par deux yeux en amande. Dix-huit ans d'expositions au compteur, peu bavarde mais efficace. Toujours prête à défier la censure, toujours prête à

Les galeries d'art au féminin

Galerie Mah
Dans ce joli espace aéré, donnant sur un petit jardin, Chahnaz Khonsari, toujours drapée d'étoffes chatoyantes, prend ses visiteurs par la main pour leur faire découvrir les œuvres de jeunes artistes et de peintres plus confirmés. Parfaitement francophone, elle vous dévoile avec enthousiasme leur vie, leur parcours et les petites anecdotes qui se cachent derrière chaque tableau.

Galerie Golestan
L'incontournable Lili Golestan a toujours l'œil pour choisir des œuvres mêlant qualité artistique et engagement politique. Sa galerie se trouve nichée dans le quartier de Darous, dans le nord de Téhéran.

(...)

soutenir un art de la provocation, tant qu'il peut aider la société à bouger, même un petit peu. Parfois, ce genre d'engagement culturel vaut plus que dix communiqués politiques. Son frère, l'illustre photojournaliste Kaveh Golestan, mort après être tombé sur une mine dans le nord de l'Irak en 2003, était de la même trempe. Ensemble, ils ont organisé cette fameuse « installation » à l'été 1999, juste après les émeutes étudiantes. Le jour du vernissage, comme à l'habitude, la salle était remplie à craquer. Mais cette fois-ci, pas de toiles aux murs, juste de la lumière qui éclaire une pièce vide. Tout d'un coup, quelqu'un hurle, l'obscurité s'abat sur la foule, et tout le monde est sommé de déguerpir au plus vite. C'est la panique. Personne ne comprend ce qui se passe. Le duo de choc avait tout simplement voulu faire revivre au public l'angoisse de la répression subie par les étudiants. Kaveh est parti trop tôt pour poursuivre le combat. Lili, elle, n'a pas encore dit son dernier mot.

Voix interdites

On s'est donné rendez-vous chez elle, dans son appartement-refuge par un matin d'hiver. C'est ici, au fond d'une impasse ombragée de Téhéran, qu'elle « lâche » sa voix, une fois la porte minutieusement fermée. Mahsa Vahdat exerce un des plus beaux métiers du monde. Elle est chanteuse. Pari difficile en Iran. Cette profession est interdite aux femmes. « Dans la partie du monde où je vis, la voix d'un homme est présence, la voix d'une femme est absence », constate-t-elle, en m'apportant une tasse de thé fumant.

À 33 ans, Mahsa a tout d'une diva. Une voix de miel, un visage fin, de longs cheveux bruns, une allure de princesse. On pourrait l'imaginer en train de chanter à guichet fermé, jonglant entre bouquets de roses et demandes d'autographes. Mais dans son Iran natal, berceau des poètes et des musiciens, la révolution islamique est venue tout chambouler en 1979. À son arrivée au pouvoir, l'ayatollah Khomeini fait le black-out sur la musique. À l'exception des chants révolutionnaires et des psalmodies religieuses. Très vite, les voix de Gougouch, Parissa et Omeyra, stars iraniennes acclamées jusqu'à Kaboul, disparaissent des transistors. La plupart des chanteurs de variété s'exilent loin, très loin, à Los Angeles. Les cassettes de musique pop – un style qui trouve son élan pendant les dernières années d'occidentalisation à outrance du Chah – sont confisquées et détruites.

Trop tard, pourtant. Quand le voile tombe sur Téhéran, Mahsa a 6 ans, mais elle a déjà goûté au « venin ». « C'était plus fort que moi. J'avais le béguin pour la musique ! » me raconte-t-elle, en me resservant une tasse de thé. Une passion transmise par « Mama Hosni », petit surnom donné à sa grand-mère. « Quand on se réunissait en famille, elle nous chantait des poèmes de Tahereh Ghoratol Eyn, une des pionnières du mouvement féministe à l'époque Qajar (1795-1925), exécutée sur ordre du roi Nassereddin Chah. » Tout un symbole. De cette femme exemplaire, Mahsa retiendra cette lutte des Iraniennes pour plus de reconnaissance, dans une société patriarcale et historiquement peu encline à voir les femmes s'engager dans une profession artistique. Et ce, bien avant la révolution. À cette époque, pas de révolution islamique, simplement du machisme. « Sous la dynastie Qadjar, les femmes avaient seulement le droit de chanter dans l'*andarouni*, (« intérieur », en persan), autrement dit au sein du harem. » Il faudra alors attendre la période des Pahlavi (1925-1979) pour que les femmes puissent enfin se produire en public. Mahsa est alors trop jeune pour en profiter.

C'est sous les bombes de Saddam Hussein, en 1980, qu'elle fait ses premières gammes sur un piano. L'instrument « occidental », banni au début de l'ère des mollahs, acheté en seconde main chez un ami d'ami, fit le voyage de Racht, au nord, à Téhéran, emmitouflé sur le toit d'une camionnette. Toute une

(...)

La Route de la soie
Cette galerie, dirigée par Anahita Ghabaian, également francophone, se consacre à l'avant-garde de la photographie iranienne. C'est le premier espace d'exposition entièrement dédié à cet art.
www.silkroadgallery.com

Galerie Seyhoun
Dans le milieu artistique, on ne jure que par madame Seyhoun. Cette septuagénaire a été pionnière sur le marché de l'art contemporain, l'une des premières à avoir osé lancer de nombreux artistes iraniens aujourd'hui de renom.

Galerie Etemad
Mina Etemad, une ancienne du musée d'art moderne de Téhéran, dirige avec son fils cette galerie dédiée à la peinture contemporaine iranienne.
www.galleryetemad.com

histoire. Puis, le bouche à oreille aidant, Mahsa finit par s'inscrire, avec sa sœur Marjane, de trois ans sa cadette, aux cours clandestins de Pari Maleki, une des rares chanteuses à ne pas avoir fui le pays. Elles y apprennent le chant traditionnel persan, où l'on ondule la voix en improvisant certains modes sur de vieux poèmes de Hâfez et de Mowlana. « C'est l'époque où tu pouvais te faire arrêter dans la rue, un instrument à cordes à l'épaule », se souvient-elle. De ces années à haut risque, elle a gardé une incroyable gourmandise pour la vie et un goût prononcé du défi lancé à la censure. Concerts clandestins, soirées musicales entre amis, à l'ombre du regard des gardiens de la morale islamique. Elle a tout expérimenté. « Tout ce qui est banni est source de désir », dit-elle sans détour.

Paradoxe : l'interdit à la mords-moi-le-nœud qui pèse sur le chant des Iraniennes n'apparaît dans aucune loi. Officiellement, c'est le chant d'une femme en solo qui est proscrit. Trop sensuel pour l'oreille des mollahs ? Il faut croire, puisque les Iraniennes ont le droit de chanter devant un public exclusivement féminin. Elles peuvent aussi se produire en chœur face à un public mixte. Elles ont également le droit de chanter en duo avec un homme, « à condition, précise Mahsa, que la voix masculine reste plus présente ». On en viendrait presque à penser que la solution serait de coller tous les hommes sous bromure. Bien compliqué. Tout ceci relevant, bien sûr, du « on-dit », les règles peuvent toujours évoluer au gré des fatwas contradictoires et des yo-yo de la pensée officielle.

Mais aux yeux de Mahsa, optimiste dans l'âme, ce genre d'interdiction tordue et alambiquée peut présenter un certain avantage. « Quand on fait face à des limites aux contours indéfinis, on peut jouer avec ! » Hossein Alizadeh, un des meilleurs compositeurs d'Iran, en a fait l'expérience en innovant il y a quelques années un nouveau style : des duos féminins, où les voix se croisent, plus qu'elles ne s'accompagnent. L'assouplissement culturel sous Khatami aidant, ce genre de petits arrangements subtils avec la censure s'est rapidement propagé au sein du microcosme musical. Après plusieurs concerts et tournées à l'étranger, seul moyen de faire de la « scène », Mahsa s'est, elle-même, récemment prêtée au jeu dans un album enregistré et, surprise, finalement autorisé à être publié à Téhéran, *Richéhâ dar Khak* (*Les Racines dans la terre*). Au rythme du *tombak*, du *daf* et du *sétar* (instruments traditionnels à percussion et à cordes), elle y chante en duo avec le virtuose Pejman Taheri. Mais bien souvent, la voix du chanteur relève plus d'un « tapis de protection » que d'un chant d'accompagnement. Un vrai travail d'acrobate.

Il en faut pourtant du courage pour se prêter au jeu du colin-maillard avec les interdits. Les chanteuses de la trempe de Mahsa ne se comptent d'ailleurs que sur les doigts des deux mains. « À cause de la rigidité du système. À cause, aussi, des mentalités », dit-elle. Elle sait de quoi elle parle. Deux de ses vingt élèves, à qui elle enseigne le chant dans l'intimité de son petit appartement perché sur les hauteurs de Téhéran – son gagne-pain quotidien –, prennent des cours à l'insu de leurs maris. Et rares sont celles qui osent persévérer, tant l'avenir d'une chanteuse en terre d'islam reste incertain et franchement peu rémunérateur comparé aux efforts de titan qui doivent être déployés.

Mahsa, au moins, bénéficie du soutien le plus fondamental pour pouvoir survivre en République islamique : celui de son époux, Atabak Elyasi, lui-même musicien, rencontré à la faculté de musique de Téhéran. « J'ai de la chance, dit-elle, il est féministe ! » Ici, ce genre d'oiseau ne court pas les rues. Le couple vit en osmose totale. Elle est sa muse. Il est son maestro. De leur union est né un projet long et ambitieux : l'enregistrement, au gré de l'inspiration et de l'humeur du jour, d'un disque porté par la voix de Mahsa, dans l'obscurité de la chambre d'amis, transformée en studio. Les mélodies sont signées Atabak.

Un micro, posé à même le sol. Quelques instruments adossés au mur. Et sur la sono, une petite harpe en argent faisant face à deux statuettes de danseuses. C'est leur jardin secret. « On s'inspire tous les deux de notre quotidien iranien : l'odeur du bon pain chaud, la couleur d'une porte, les ruelles cabossées, le glouglou du ruisseau qui passe sous la fenêtre… D'ailleurs, il a réussi à se faufiler dans certains enregistrements », rigole la chanteuse. Mais alors, ce CD, pourra-t-il voir le jour à Téhéran ? Mahsa ne se fait aucune fausse illusion. « Non, certainement pas ! » C'est, me glisse-t-elle, leur « hommage personnel à l'Iran ». Même si le pays est accusé de terrorisme, mis au ban de la communauté internationale, jouant les apprentis sorciers avec l'uranium, même si chaque jour les libertés y sont bafouées, Mahsa a son pays dans la peau. Comme un amant abusif et merveilleux qu'on ne peut pas quitter. Et c'est pour ça, insiste-t-elle, qu'elle préfère y rester, en dépit des embûches du quotidien. Elle est sans ambiguïté : « Si je quitte mon pays, je perds mon inspiration. »

9.
Plaisirs
à huis clos
VODKA

Vodka Jihad

« *Khoch Amadi !* » (« Bienvenue ! ») Un verre dans une main, un plateau de hors-d'œuvre dans l'autre, Simine, choucroute sur la tête et minijupe impression léopard, a juste le temps de me coller une bise et de repartir se trémousser au milieu du salon. Sur le palier, un jeune serveur afghan en nœud papillon est en train de réceptionner discrètement les caisses de vodka dissimulées dans des sacs-poubelles. Quelques billets glissent entre les mains, le livreur s'éclipse ni vu ni connu, et la porte se referme.

Au rythme d'un tube de techno, je fais comme les autres : j'enlève mon foulard et je me fraie un passage, à travers le nuage de fumée de cigarettes, pour rejoindre le buffet. Surprise, comme toujours, par la quantité d'invités, et de bouteilles d'alcool illicite posées sur la table. Mais soulagée, comme mes amies iraniennes, de pouvoir retrouver le goût du futile le temps d'une soirée.

La nuit est jeune. Les filles sont belles. Et Téhéran sent la vodka. Un jeudi soir comme les autres, dans un de ces luxueux appartements du nord nanti de la capitale iranienne, coincé au énième étage d'une tour clinquante, avec jacuzzi et piscine en sous-sol. C'est la fin de la semaine, l'équivalent de notre *Saturday night fever* occidental. Au milieu du salon, l'ambiance est électrique, pétillante et torride. Un groupe de jeunes hommes, bon chic bon genre dans leurs chemises Eden Park et Façonnable, vient de former un cercle autour d'une jolie brune. Les lèvres laquées de rouge, les ongles imprimés de décalcomanies, et le nombril à l'air, elle se déhanche sur le tempo de leurs applaudissements. Quand un DJ est de passage dans la capitale iranienne, entre une virée à Dubaï et un concert à Los Angeles, on lui fait signe. Entre deux danses, on appelle les retardataires sur leurs portables. Comme un refrain, le « *Kodjaï ?* » (« Mais où es-tu ? »), résonne à travers le grand salon, décoré de faux Picasso sur les murs et de tapis persans en soie dont la longueur quasi indécente cache l'essentiel du sol marbré. Dans une pièce du fond, une grappe d'invités sniffe de la coke en catimini. L'opium, c'est « *so last year* ». Par la fenêtre de ce quinzième étage qui donne sur les contreforts de l'Alborz, on devine, au loin, les embouteillages, la pollution, les fresques révolutionnaires, le chant du muezzin. Paysage quasi fictionnel vu du prisme déformé qu'offre cette soirée des plus hallucinantes.

La *party*, la fête, c'est l'échappatoire de nombreux Téhéranais et Téhéranaises en manque de loisirs. Au terme persan *mehmouni* – « l'invitation » – ils ont préféré un mot anglais, plus court, et sûrement plus branché au goût de certains. « Entre les quatre murs de ma maison, dit-on en persan, je suis seul maître. » Discothèques et bars étant formellement proscrits, les Iraniens ont, en effet, appris à se retrouver en fin de semaine chez les uns et les autres. Parfois, c'est le parking parfaitement insonorisé d'une villa à trois étages qui se transforme, le temps d'une soirée, en boîte de nuit clandestine. Avec liste détaillée d'invités à l'entrée pour éviter les intrus. Place, souvent, aux idées les plus farfelues. Bals masqués, soirées latino, concerts *live* des derniers groupes de hard-rock underground, les thèmes des soirées se déclinent en fonction des humeurs de la saison. « *Keyf mikonim !* » « On s'éclate ! » disent les convives. Sans retenue. Ici, contrairement aux soirées parisiennes, personne ne se fait prier pour danser. Une façon de se réapproprier la vie, de reléguer à une préhistoire moribonde les tchadors noirs et les discours de propagande islamique. Vous ne pouvez pas aller à une *party* sans connaître *Baba Karam. Baba Karam* c'est la quintessence de la danse iranienne. C'est la musique jouée à toutes les fêtes. Un mariage, *Baba Karam*, un anniversaire, *Baba Karam*. Le concept, c'est l'ondulation. On ondule du cou, des épaules, du ventre et des doigts, on ondule des lèvres et des cils. On ondule de partout où on peut onduler. Puis, on agite ses bras, et enfin ses jambes. Ça peut donner lieu à des scènes un peu déconcertantes de jeunes hommes à l'aspect parfaitement convenable, se trémoussant tels des diables en jetant leurs jambes de tous les côtés.

La nuit est jeune. Elle sera longue. À moins qu'elle ne soit interrompue par une descente de policiers. Ce sont des choses qui arrivent encore à Téhéran, même si les rafles des années 90 ne sont plus au goût du jour. Comme si les autorités avaient décidé de fermer les yeux, tout simplement, sur ces fameuses soirées interdites. « C'est une sorte de pacte avec la jeunesse. Le gouvernement conservateur d'Ahmadinejad préfère qu'on soit occupé à s'amuser plutôt qu'à descendre manifester dans la rue. Il s'attaque aux chauffeurs de bus qui manifestent, aux activistes des droits de l'homme. Mais le maquillage et les *parties*, il les ignore », en conclut Siavoch, un informaticien aux cheveux gominés et à l'arcade sourcilière parfaitement nettoyée des poils de trop qui dépassent sur les côtés. Lui, ça lui convient parfaitement. Simine aussi : « Se révolter, pourquoi ? On a essayé de manifester quand on était étudiants, en juillet 1999. Certains se sont pris des coups. D'autres ont fait de la prison. » Lasse du sang et des souffrances, blasée des débats politiques, elle ne lit plus les journaux, boude les élections et s'éclate en soirée. Comme la plupart de ses invités, tous issus d'un milieu privilégié. « On a soutenu les réformes pendant les années Khatami. Ça n'a pas marché. Maintenant, c'est la politique du chacun pour soi », dit-elle. Et si par malheur « ils » viennent sonner à la porte, le bakchich est déjà prêt, au fond de son sac à main.

Tout le monde n'a pas les moyens, comme elle, d'acheter son bonheur. Ces petites libertés gagnées contre quelques billets ne sont réservées qu'à un microcosme du nord de Téhéran. Plus au sud, dans les faubourgs traditionnels et religieux, les activités restent largement restreintes. Le centre culturel Bahman, une sorte de centre Pompidou à l'iranienne, construit il y a dix ans à la place des anciens abattoirs de Téhéran par l'ancien maire Gholamhossein Karbastchi, un réformateur plein d'idées, offre des cours de musique, d'informatique et des projections de films. L'ambiance y est néanmoins plus sévère qu'au nord. Ces dernières années, les activités religieuses, comme la lecture du Coran, ont même commencé à grignoter sur l'espace d'expression culturelle créé à l'époque des réformes. Restent les rendez-vous discrets dans les parcs. Ou bien la vidéo qu'on regarde avec les cousins. Mais de soirées entre copains-copines, il n'est pas question. La fête, elle, est réservée à l'occasion des mariages, où les femmes se retrouvent dans une salle, et les hommes dans une autre.

Entre l'univers frivole du Nord et celui du Sud, plus rigoureux, le fossé reste de mise. Ces deux mondes s'ignorent, parfois se méprisent. Pour Simine et sa bande, les filles du Sud sont *djavâdi*, c'est-à-dire un peu « ploucs ». Mais aux yeux des « ploucs », Simine incarne la pure *taghouti*, terme péjoratif pour désigner la bourgeoisie qui s'est enrichie à l'époque du Chah. De jour, pourtant, ces petits mondes se croisent. Sur les bancs des universités. Le vendredi, lendemain de fête, sur les sentiers de randonnées de Darband et Daraké, où le tout-Téhéran, en quête d'oxygène et de volupté, se déverse. Là-bas, pin up à la gueule de bois et au foulard qui tombe y côtoient les filles du Sud, plus voilées. Quand, au détour d'un chemin, un vieux randonneur s'arrête pour lire à la cantonade quelques vieux poèmes persans, elles s'arrêtent toutes pour écouter. Et elles échangent des sourires complices. Des moments magiques, surgis de nulle part, comme on les aime à Téhéran.

Livraison du bonheur à domicile

« Avant la révolution, on buvait dans la rue et on priait à la maison. Aujourd'hui, c'est le contraire. » La plaisanterie, entendue mille et une fois à Téhéran, offre un bon résumé de la liberté qui prévaut derrière les murs d'une ville dominée par les tabous et la religion. « Téhéran est l'une des rares capitales du monde où tu peux te faire livrer à domicile une bouteille de vodka, le dernier film de Woody Allen et du haschich en un temps record », me glisse une de ces Téhéranaises de la jet-set du nord de la capitale. À côté, New York ressemble à une ville de province ! Elle n'a pas tort. Tous ces produits de contrebande ont beau être formellement proscrits en Iran, ils sont, en privé, à portée de main. Tant qu'on a de l'argent, bien sûr. Les fournisseurs clandestins – dont les numéros circulent dans le microcosme des quartiers huppés – sont, pour la plupart, issus de la minorité arménienne. De confession chrétienne, ils sont autorisés à consommer du vin en privé pour les besoins de leur culte. Et peuvent donc plus facilement passer au travers des mailles des agents de la police, au cas où ces derniers s'aventureraient à ouvrir le coffre de leur voiture en pleine rue. Dans ce business qui n'est pourtant pas sans risque, la prudence reste donc de rigueur. Joignables à n'importe quelle heure du jour et de la nuit, ces coursiers magiques fonctionnent par code et ont appris à décrypter avec brio les messages brouillés qu'ils reçoivent sur leur téléphone.

Par « jus de pomme », entendez « bière ». Par « liquide », comprenez « vodka », livrée dans des canettes de soda, ou encore *araq sagui*, la vodka du « chien », celle qu'on produit clandestinement en Iran, qu'on dissimule dans des bouteilles d'eau minérale, et qui nettoie les intestins. Et pour commander du vin, le client se contentera d'en prononcer la couleur. « Ce soir, ce sera un blanc et deux rouges. » On ne sait jamais, les téléphones ont parfois de grandes oreilles. À Téhéran, il est également de bon ton de fabriquer son propre vin, en foulant le raisin dans la baignoire. Tout un programme, qui nécessite parfois de réquisitionner une famille entière. Le résultat : une sorte de Beaujolais nouveau qui change de goût en fonction des saisons et qu'on sirote en regardant *Sex and the City*. La capitale iranienne n'a pas échappé au virus de cette série américaine culte, vendue sous le manteau, et qui fait des ravages auprès des jeunes Téhéranaises.

My name is Dulac... François Dulac

Un nom digne d'un héros du contre-espionnage. On l'imagine buvant son côtes-du-Rhône chambré, pas glacé. Ahhh, François... On a tout faux. François Dulac n'est pas un agent double, C'est bien plus sulfureux que ça. Un vin mystérieux qui coule dans les verres à pied des villas feutrées de Chemiran, dans le nord de Téhéran, qui égaye les soirées d'hiver et qui, comble du chic, serait d'appellation française... Vous n'en aviez jamais entendu parler ? Moi non plus, avant de m'installer en Iran et de découvrir qu'ici, c'est LE breuvage de référence que l'Arménien de service vient vous livrer à la nuit tombée, en le dissimulant dans des sacs à ordures. Les connaisseurs y décéleront une simple piquette qui, à Paris, ne dépasserait pas les 4 euros au supermarché du coin. Mais à Téhéran, le François Dulac vaut son pesant de caviar. Et à la bourse clandestine du vin iranien, son prix fluctue en fonction des saisons.

L'équivalent de 15 euros l'été, parfois le double l'hiver ! Pas à cause des vendanges, le vin serait un produit des Grands Chais de France, apparemment réservé à l'exportation. Mais tout simplement à cause des risques du transport. Interdit à l'importation – « *haram !!!!* » –, c'est à dos de mules que le François Dulac se glisse en Iran. Il passerait, en fait, par la Turquie pour rejoindre le nord de l'Irak et franchir la frontière qui sépare le Kurdistan irakien du Kurdistan iranien (région montagneuse à l'ouest du pays) grâce à ces courageux petits animaux. L'hiver, les tempêtes de neige en rendent le transport encore plus compliqué. D'où les enchères qui grimpent. Parfois, les contrebandiers en sont réduits à faire goûter de ce breuvage clandestin aux pauvres mules pour leur réchauffer le sang. L'histoire a même inspiré le cinéaste iranien d'origine kurde Bahman Ghobadi, dans son film *Un temps pour l'ivresse des chevaux*, primé à Cannes en 2001. On achève bien les chevaux, alors on peut saouler les mules.

Beethoven

Le refuge des amateurs de vraie musique. On trouve, chez ce disquaire de renom, les meilleurs CD des nouvelles tendances musicales de l'Iran : des grands classiques de la musique soufie à la techno-transe underground. On peut également s'y procurer, derrière le comptoir, les copies pirates des derniers albums de stars américaines.

Café Paradiso

Tout beau, tout nouveau, ce petit magasin mouchoir de poche, perché dans la galerie marchande Gandhi, la fameuse galerie des cafés, s'est spécialisé dans le cinéma. On peut s'y procurer les grands films du septième art iranien. Et si vous êtes une habituée des lieux, vous pouvez y passer discrètement vos commandes personnelles en copies clandestines de films hollywoodiens et européens.

Causeries avec les martyrs

« Je vais rendre visite à Mohammad. Tu veux venir ? » me demande Mina au bout du fil. En général, elle y va au moins une fois par semaine, le jeudi après-midi. C'est son unique frère, elle l'aime plus fort que tout et elle m'en parle souvent. Tiens, pourquoi pas, il est 16h, et la douce brise qui souffle sur Téhéran est plutôt propice à sortir le bout du nez dans la rue. « Alors, je passe te prendre », dit-elle.

Le temps de me draper de noir et je suis prête à sauter dans sa voiture. En chemin, on écoute des CD de pop de Los Angeles, on croise en souriant les dragueurs du week-end, avec leurs cheveux gominés, chassant la pintade au visage trop maquillé, au manteau trop cintré, au foulard trop coloré. Ils ont la vingtaine, ils sont insouciants, ils débordent de cette envie de croquer la vie à pleines dents. Je souris.

Tiens, on a de la chance, il y a juste une place qui vient de se libérer devant la porte, entre un gros camion rempli de dattes et l'agence de taxis du coin. Pour arriver chez Mohammad, il faut traverser d'étroites allées bordées d'arbustes, descendre de petites marches, s'arrêter en chemin pour saluer les autres visiteurs, et se laisser offrir, selon la tradition, des biscuits, des oranges et des pistaches. Troisième rangée, juste en face d'un petit banc peint en vert.

« Mohammad Teherantchi. 1345-1364 » (c'est-à-dire, selon notre calendrier, 1966-1985), peut-on lire en lettres persanes gravées sur la pierre marbrée. Juste au-dessus, dans un petit cadre en ferraille, il sourit en noir et blanc, sur une des dernières photos qui restent de lui. Il est beau dans sa chemise rayée. Mohammad est mort à 19 ans, l'âge de ces jeunes en quête d'amour et de légèreté qu'on vient juste de croiser. Lui, il voyait la vie, ou plutôt la mort, autrement. « Il disait qu'il était prêt à mourir, au nom de sa patrie, au nom de l'islam », souffle Mina, les yeux gonflés de larmes, en caressant tendrement le marbre froid. « On a respecté son choix, il est parti. »

Mohammad fait partie de ces milliers d'adolescents-soldats, bercés entre utopie et propagande, qui se ruèrent les yeux fermés vers le front de la guerre Iran-Irak (1980-88), en laissant derrière eux le monde, leurs familles, leur avenir. Beaucoup, comme lui, sont revenus dans une boîte en carton. Ce sont les *chahid* (martyrs) de la République islamique, ces colonies d'engagés volontaires, souvent jeunes, très jeunes, partis aveuglément au casse-pipe, honorés comme des héros par le régime et dont les portraits géants continuent de hanter la capitale iranienne.

On peut difficilement les oublier. Ils sont partout. Tellement omniprésents qu'on en a parfois la nausée. Que vous descendiez acheter votre galette de *sangak*, que vous alliez au cinéma, ou que vous ayez rendez-vous chez le dentiste, vous ne pouvez pas échapper à ce face-à-face avec ces défunts devenus immortels. Les murs de Téhéran les dépeignent en couleurs, entourés de tulipes rouges – la fleur du martyr. Les écoles les commémorent en organisant des expositions de quartier. La télévision leur rend quotidiennement un hommage outrancier, en passant en revue des images de cadavres, de corps mutilés, des photos de gamins en charpie, la chemise ensanglantée, le visage défiguré. Juste entre le bulletin d'actualités et le journal du soir, pas très appétissant.

Tellement omniprésents, donc, et réutilisés à des fins purement politiques, que mes copines en sont dégoûtées. « Ils sont bien commodes, ces martyrs. C'est comme si le pouvoir s'en servait comme prétexte pour étouffer les rires, pour imposer un deuil généralisé sur la ville ! » me confie toujours l'une d'elles, dès qu'on se retrouve nez à nez avec un de ces portraits géants.

Mais derrière cette récupération politique, il y a l'envers du décor, il y a toutes ces femmes, comme Mina, partagées entre tristesse et fierté, qui honorent, à leur façon, la mémoire de leurs frères, de leur maris, de leurs fils, de leurs pères. « Cher Mohammad, tu as choisi ta voie. Tu as défendu l'Iran contre l'Irak ! » souffle Mina, un petit Coran à la main. « Que Dieu te protège ! »

Cette boucherie de la guerre contre l'Irak – un million de morts des deux côtés – a touché tellement de familles que son souvenir est terriblement vivant en Iran. Et tel un rituel hebdomadaire, les Téhéranaises vont visiter leurs morts au cimetière. Pour beaucoup, c'est « la » sortie du jeudi après-midi. Un rituel à cheval entre ferveur nationale, tradition chiite mortifère, et oisiveté de fin de semaine, si propre à la culture iranienne. Ici, on ne se contente pas de veiller les morts, on leur parle, on pique-nique sur leurs tombeaux. On les fait revivre.

Aujourd'hui, les *chahid* reposent par milliers au grand cimetière Behecht-é-Zahra (le Paradis de Zahra), la fille du prophète Mahomet, sur la route qui mène vers Qom, le Vatican du chiisme, juste à côté de l'immense mausolée au dôme doré de l'ayatollah Khomeini. Ici, dans le nord de Téhéran, le petit cimetière de Tchizar, situé dans le vieux quartier de Chemiran, et adossé au mausolée Ali Akbar, héberge quelque 500 autres *chahid*, dont Mohammad. Sa porte reste ouverte aux visiteurs jour et nuit.

« Suis-moi », glisse Mina. Là-haut, à l'étage, juste au-dessus du mausolée, sont disposées de petites vitrines exhibant minutieusement les souvenirs des *chahid*. Ici, la photo des trois frères Rahmani, tous morts au front. Là, le certificat de doctorat du jeune Ebrahim Vanessian, un brillant dentiste qui lâcha tout pour se lancer à corps perdu dans la guerre. Perplexe, j'observe ces rangées de carnets de notes, de chapelets, de coupe-ongles, d'appareils photo, de montres, petits objets de la vie de tous les jours, dont les propriétaires sont partis trop vite. Mina, elle, sourit, admirative.

L'heure de l'appel à la prière vient de sonner. Elle couvre le « tsoin tsoin » de la sono qui déborde des voitures garées devant le petit cimetière. Des jeunes, devine-t-on, sont venus rendre visite au paternel, enterré sous une pierre, avant d'aller retrouver les copains pour danser. Une façon, parmi d'autres, de se recueillir auprès de ses morts. Dans les allées, les sachets remplis de confiseries circulent. Ce sont les offrandes que distribue chaque famille. Aux larmes succèdent les sourires, les accolades chaleureuses. On s'offre des mouchoirs, on échange des souvenirs. Derrière la lourdeur du deuil, il y a, dans le fond, quelque chose de magique dans ce cimetière. Je me rends compte que je ne suis d'ailleurs pas la seule intruse, venue observer cet étrange spectacle qui tangue entre vie et mort. Le long du mur, des badauds font la queue pour un bol de *hâch* (potage aux herbes) offert par une des familles.

Au cimetière des martyrs, chacun trouve sa place. Sur le banc vert, juste en face du cercueil de Mohammad, deux jeunes filles se sont assises. L'une porte un blouson rouge, des lunettes carrées et une sacrée couche de poudre sur les joues. Sous le tchador noir de l'autre, on devine des chaussures à talons compensés et un blue-jeans pattes d'éléphant. Sont-elles filles de martyr ? « Non, répond la première. On sortait du travail et on passait par là ! » Le cimetière, un loisir ? « Eh bien… » Sa réponse est interrompue par la sonnerie de son portable. Au bout du fil, on l'entend parler, vraisemblablement à une copine, « d'un mec vachement beau, les yeux verts, portant une chemise rayée ». Mais c'est de Mohammad qu'il s'agit ! « Ah, dommage qu'il ne soit plus de ce monde, poursuit-elle. Que Dieu le protège ! »

Le déjeuner de soleil

À Téhéran, c'est une institution. Un vendredi ensoleillé, et toute la marmaille se retrouve à l'arrière de la voiture, les tapis, le thermos et les marmites sur le capot, le paternel au volant et la mère poule les yeux collés à la fenêtre à l'affût du petit carré de verdure qui permettra d'étaler les nattes. En chemin, on va chercher les cousins, les oncles, les tantes et les grands-mères. Le jour de congé, l'équivalent musulman du dimanche, si vous voulez, c'est sacré chez les Iraniens : on le passe en famille. Et s'il fait beau, toute la tribu se retrouve autour d'un pique-nique pantagruélique. Ce qui compte avant tout, c'est d'être ensemble.

Peut-être est-ce une des raisons pour lesquelles les Iraniens ont cette drôle d'habitude de pique-niquer en bordure d'autoroute, ou sur de minuscules places publiques, plutôt que de chercher des cadres plus naturels… Comme si, une fois réunis, ils faisaient abstraction du décor. Tout ce qui importe, semble-t-il, c'est de trouver un enclos suffisamment spacieux pour étaler les pastèques, le poulet au riz, la viande pour le barbecue, le tout parfois accompagné d'une petite vodka sortie discrètement de derrière les fagots. « Une miche de pain, une cruche de vin, et toi », aiment vous rappeler les bons vivants de Téhéran, en citant les vers d'Omar Khayyam.

Mais quand les beaux jours approchent et que la chaleur suffocante de l'été s'abat comme une chape de plomb sur la capitale, il faut pousser plus loin pour humer la fraîcheur. Alors, on grimpe un peu plus haut, vers le parc Jamchidiyeh, ou les sentiers de Darband et Daraké, à flanc de montagne, en quête d'air respirable et d'eau pure qui dévale des glaciers. Une fois le repas englouti, les enfants jouent au ballon, les pères sortent les pions du *takhté*, sorte de backgammon, et les mères s'adonnent à la broderie, passe-temps populaire par excellence, ou tout simplement aux derniers commérages du jour, loisir encore plus populaire ! Parfois, figurez-vous qu'elles arrivent à allier les deux. Mais la combinaison s'avère suffisamment épuisante pour provoquer, au bout de quelques minutes, d'épais ronflements. L'heure de la sieste – moment sacré – est arrivée. Les Téhéranaises n'échappent pas à cette fameuse tradition moyen-orientale, et elles sont nombreuses à la pratiquer avec une discipline de fer. Autant vous prévenir : n'appelez pas vos copines un vendredi après-midi entre 14h et 16h. Vous serez maudite pour toute la semaine à venir.

Plus Kich, tu meurs !

Les Iraniennes ne se lasseront pas de vous le dire. « Il faut absolument aller à Kich ! » *Atman !* (Absolument !) Ah, l'île de Kich, ses plages de sable fin, ses supermarchés géants, ses concerts à la belle étoile, son parc d'attractions rempli de dauphins. Un petit morceau de paradis quoi, à 15 kilomètres des côtes iraniennes. « Les femmes y font du jet ski, la musique y coule à flots ! Tu peux même y acheter des déodorants de marque étrangère à moitié prix ! » me disent les copines. D'ailleurs, les brochures touristiques ne tarissent pas d'éloges sur « cette perle du golfe Persique » : moderne, propre, dotée d'hôtels cinq étoiles, proposant, *nec plus ultra*, des toilettes *farhangui* (c'est-à-dire « étrangères », en opposition aux toilettes rustiques, vous savez, ce qu'on appelle les toilettes « à la turque » en France).

Et si je ratais quelque chose ? C'est décidé. Je profite d'un long week-end pour réserver, les yeux fermés, un aller-retour sur un vol Kich Airlines. À une restriction près : éviter les Tupolev rouillés achetés au rabais à la Russie, et qui risquent de s'écraser à tout moment. La bonne nouvelle, qui intéressera les lectrices, c'est que pour se rendre à Kich, le visa n'est pas obligatoire. C'est la seule parcelle du territoire iranien qui ne requiert pas une multitude de laborieuses démarches administratives. Dans cette zone franche qui fait la fierté des mollahs, toutes les nationalités sont les bienvenues. Y compris les Américaines du « Grand Satan » ! Seules les détentrices d'un passeport israélien sont *persona non grata*, l'Iran refusant de reconnaître l'État hébreu.

L'atterrissage sur Kich, portion de terre de 90 kilomètres carrés, se fait tout en douceur. Le soleil y est généreux, le ciel bleu. L'air imprégné d'une agréable odeur saline. On respire !

Mon taxi est d'une blancheur immaculée. Il glisse paisiblement sur les bandes de bitume brûlant. Direction : l'hôtel Sadaf (en persan, « coquillage », dont il a d'ailleurs la forme), recommandé sur tous les dépliants, et dirigé par un charmant couple, parfaitement francophone. Les vitres fermées, on roule à 15 degrés. Dehors, le thermomètre affiche 35 degrés au soleil. À force d'être chatouillé par la climatisation, mon foulard tombe. Mais le chauffeur n'a pas l'air de s'en faire. « Bienvenue dans notre oasis de liberté ! » chantonne-t-il. Le spectacle qui défile par la fenêtre est plutôt décapant. Ici, les majestueux palmiers flirtent avec des tours de verre, entourées de néons multicolores, en forme de fleurs ou de Bambi. Partout, des hôtels aux cours garnies de fontaines musicales, de guirlandes dorées, d'escaliers lumineux dont les marches s'allument dès que vous y posez le pied. Plantés aux carrefours, des haut-parleurs annoncent des soldes phénoménaux dans l'un des dix centres commerciaux de l'île. Venir à Kich, royaume ensoleillé du kitsch et du fric, c'est repartir avec un mixeur dernier cri, un épilateur ou un micro-ondes. À une heure et demie par avion de la rigueur de Téhéran, on se croirait tout d'un coup à Las Vegas ! Enfin, presque. Le paradis de Kich reste un paradis islamique. Vous rêviez d'une soirée en boîte de nuit ? Rhabillez-vous tout de suite. Le voile, même s'il y est plus indiscipliné que sur le continent iranien, y est de rigueur. L'alcool est interdit. Et le seul casino de l'île, juste au bord de la plage principale, tombe en ruine depuis des années.

Gardé par deux Vikings poussiéreux en papier mâché, il n'a pas rouvert ses portes depuis la chute du Chah, en 1979. Quelques années avant la prise du pouvoir par les religieux, le monarque iranien, atteint par le virus de la folie des grandeurs, avait développé le rêve de transformer Kich, alors quasiment désertique, en un petit Monaco, avec soirées jet-set, vodka qui coule à flots, et vols directs en Concorde. À la révolution, il a vite déchanté. De ces années glamour, il ne reste que son ancienne résidence, qui abrite aujourd'hui l'hôtel Kich Elite, et, un peu plus loin, le grand complexe hôtelier Chayan, gigantesque structure de béton armé, non loin de la plage. Une fois au pouvoir, les mollahs ont nettoyé l'île de ses « débauchés », avant de l'abandonner. Mais en 1992, trois ans après la fin de la guerre Iran-Irak, ils ont fini par se dire qu'ils pourraient, peut-être, en tirer profit : Kich fut alors décrétée zone franche. Une façon astucieuse d'attirer les capitaux de la diaspora iranienne, tentée par ce nouveau souffle libéral.

« En route pour le Dariouch ! » À peine débarquée au Sadaf qu'un jeune guide en chemisette et pantalon me propose, au volant de son minibus, une visite du

Se rendre à Kich

Plusieurs compagnies aériennes assurent la liaison quotidienne Téhéran-Kich.
Kich Airlines propose également des vols depuis l'aéroport de Dubaï. Avantage : l'île de Kich, connue pour ses mœurs plus souples, est la seule parcelle du territoire iranien où l'on peut se rendre sans visa.

plus grand hôtel de l'île. Il a été construit par un certain Hossein Sabet, *tycoon* d'origine iranienne ayant fait fortune en Allemagne et dans le tourisme des îles Canaries. Son rêve un peu fou : reproduire les ruines de Persépolis. Un hommage à la grandeur de la Perse préislamique, et un défi indirect à la rigueur religieuse. Coût de la construction, qui s'est achevée en 2004 : 100 millions d'euros ! Peut-être est-ce une des raisons pour lesquelles l'entrée du palace est payante (5 euros pour pouvoir visiter son lobby, ses salons et son vaste jardin). Dans le genre kitsch réussi, ça vaut le détour. Une fois passée la longue allée bordée de bas-reliefs rappelant les taureaux et les mages des ruines antiques, on pénètre, par la porte royale, dans le lobby de « Persepolisland ». Ici, les symboles de la cour du roi Darius se déclinent, en bois, en marbre ou en argent massif, sous toutes leurs formes : colonnes magistrales, pieds de chaises, services de table. Ça dégouline de partout.

Dans les allées chargées, des quinquagénaires en furie, foulards noués derrière les oreilles, et l'appareil photo collé à l'œil, posent, nostalgiques, sur les tapis persans, en pleurant la « belle époque ». « Imaginez, se lamente l'une d'entre elles. En d'autres temps, on aurait pu prendre un bain de soleil au bord de la piscine en sirotant une bière. » Et l'une de ses compagnes d'enchaîner : « Comment veulent-ils, dans ces conditions, attirer les touristes étrangères ? Il faut être maso pour louer une luxueuse chambre dans un palais

sans pouvoir profiter de sa plage ! » Elle n'a pas tort. L'unique plage mixte, réservée aux non-Iraniens, n'a pas fait long feu. Seule solution pour se faire bronzer autre chose que le bout du nez : fréquenter la plage des « femmes », à l'opposé de celle des « hommes ». Du coup, les quelques étrangers qu'on croise à Kich n'ont rien à voir avec la clientèle d'Ibiza. Ce sont, pour la plupart, des Philippins et des Indiens qui viennent ici dans le seul objectif de renouveler leur visa de travail pour les Émirats voisins. Osera-t-on également évoquer les prostituées russes, qu'on croise, cachées sous leur foulard, au détour d'un centre commercial…

Je me suis toujours demandé à quoi pouvait ressembler une plage de « femmes ». J'y retrouve mon amie Afsaneh, 28 ans. Elle est venue, avec son petit ami, goûter le temps d'un week-end à la liberté – relative, on l'aura compris – de Kich. Mais pour cette étudiante en foulard mousseline, le seul fait de pouvoir se glisser, la nuit, en catimini, dans la chambre d'hôtel de son copain contient un pesant d'audace qu'elle ne pourrait jamais se permettre dans d'autres parties du pays. « Si on nous attrape, on risque gros : la taule ou les coups de fouet. C'est dangereux, je sais. Mais ici, les hôteliers ferment les yeux. Naviguer entre les interdits, c'est comme ça qu'on a appris à vivre », dit-elle, en me faisant signe de la suivre. Nous voilà face à un grand mur en béton, barrage indispensable à passer pour atteindre la plage réservée au « second sexe », loin du regard de ces messieurs. Engoncée dans son tchador, une grosse Iranienne vous fait passer l'épreuve désagréable de la fouille corporelle. Puis, les téléphones portables, capables de prendre des clichés, sont confisqués au vestiaire. Ambiance check-point qui rappelle, la kalachnikov en moins, l'entrée de la « Green Zone » de Bagdad, forteresse ultra-protégée qui héberge l'ambassade américaine. On a presque envie de faire demi-tour. Mais on raterait quelque chose.

Une fois les pieds nus enfoncés dans le sable fin, c'est le monde à l'envers. Genre hammam, ou harem, au choix. La plupart des filles ont laissé tomber le

L'île des Amazones

Une île interdite aux hommes où les femmes pourront se balader sans foulard et bronzer sur la plage en bikini. C'est la nouvelle lubie des autorités iraniennes qui envisagent de transformer l'île d'Arezou (« rêve »), située au milieu du lac d'Orumieh, dans le nord de l'Iran, en un paradis féminin. Les transports publics, les hôtels et restaurants n'y emploieront que des femmes. Luxe, calme et chasteté.

haut du bikini pour se faire bronzer le bout des seins. Une belle brune, dénommée Leyla, est fière de nous montrer le cœur secret qu'elle vient de se faire tatouer sur la fesse gauche. Afsaneh, elle, nous fait découvrir son piercing au niveau du nombril. Tout d'un coup, les voix baissent d'un ton. Mahsa, la seule de la bande à bientôt se marier, a un secret à partager avec les copines. Demain, dès qu'elle rentre à Téhéran, elle doit aller se faire « recoudre », pour effacer toute trace de relation prénuptiale. « Si mon mari apprend que j'ai déjà eu des copains, il va rompre les noces ! » dit-elle. Même dans les milieux les plus occidentalisés, qui se disent libéraux, la virginité constitue une ligne rouge à ne pas dépasser. Au fil des conversations dignes d'un *Sex and the City*, version iranienne, les bavardages et le flacon d'huile à bronzer glissent de main en main.

« *Bip-bip* » Le téléphone portable d'Afsaneh sonne. C'est Mansour, son copain, qui nous signale qu'il quitte la plage des « hommes ». Le rendez-vous est donné dans quelques minutes à Pardis, le plus grand bazar de l'île. Génial, je vais pouvoir y acheter mes souvenirs du sud de l'Iran ! J'ai vite fait de déchanter en arrivant devant une grande bâtisse rose, remplie de boutiques d'électroménager, de vêtements et de parfums de marques étrangères. J'ai beau chercher, impossible de trouver la moindre carte postale évoquant le patrimoine culturel et historique de Kich, comme ce joli quartier aux maisons en chaux blanche de la petite communauté arabe. Je n'ai plus, comme les autres, qu'à me replier sur les boutiques de contrefaçon. Reza, apprenti comédien au chômage, reconverti dans la vente de faux polos Lacoste et sacs Gucci, et lecteur assidu du *Da Vinci Code* traduit en persan, se propose de me conseiller. « Le foulard Burberry, c'est très mode ! » dit-il. Trahie par mon accent français, j'ai aussitôt droit à une palette de questions en tout genre : « Quels sont les sacs Vuitton préférés des Françaises ? Une vraie Lacoste, ça coûte combien ? Vous croyez que l'Amérique va nous attaquer ? Et vous, vous avez lu le *Da Vinci Code* » ? La conversation se terminera, comme souvent, avec une demande d'aide pour obtenir un visa.

« Tous au Chandis ! » Ce soir, Mansour a décidé de mettre les petits plats dans les grands. Il a réservé, pour tous ceux qui veulent veiller tard, une table dans le meilleur resto-concert de l'île : une sorte de « cabaret » typiquement iranien, comme le pays en comptait tant avant la révolution, avec les tables d'un côté pour déguster les brochettes de poisson, et la scène de l'autre pour les musiciens. À Kich, ce genre de divertissement est toléré. À condition de ne pas trop se trémousser sur sa chaise, la danse étant proscrite par les autorités religieuses. Mais gare aux sautes d'humeur de la police. « Elle sévit et interdit les concerts pour quelques jours dès qu'elle apprend que les airs entonnés sont trop entraînants », glisse un serveur. Ce soir-là, la chance est dans notre camp. La chemise ouverte à la Marlon Brando, un chanteur aux cheveux longs et gominés, coiffés en queue-de-cheval, s'élance dans des airs amoureux de l'époque du Chah. Il est minuit, et la soirée ne fait que commencer. Collés à leurs chaises, filles et garçons se mettent à claquer dans les mains, en faisant subtilement danser les flammes de leurs briquets.

La chaleur commence enfin à s'évaporer. L'horloge affiche deux heures du matin, l'heure idéale pour enfourcher un des nombreux vélos qui sont en location 24 heures sur 24 – une autre particularité de l'île. « Kich possède la plus grande piste cyclable du monde ! » lance fièrement le gérant d'une des guérites à vélos. Afsaneh, Mansour et leurs amis sont conquis. Moi aussi. Petit avertissement, cependant : parfois, le fameux ruban s'arrête, sec, sur une place en travaux. Et il ne vous reste plus qu'à porter la bicyclette à l'épaule jusqu'au prochain carrefour. Mais pédaler sans voile, quelle sensation. Lorsqu'il tombe pour de bon, dans l'obscurité, il n'y a personne pour vous le signaler. Afsaneh en fait des « youyous ». Tout d'un coup, elle dit : « Tu possèdes la nuit plus qu'elle ne te possède. » Et c'est là finalement qu'on finit par le trouver, ce petit coin de paradis. Mansour vient de repérer une crique, cachée derrière une roche. Le sable y est fin, l'eau limpide. Pas un chat à l'horizon. Tout d'un coup, la spontanéité retenue reprend le dessus. « Tous à l'eau ! » hurle Afsaneh. Les rires viennent couvrir le concert des éclaboussements. Petit plaisir paisible d'une liberté volée sur un faux coin de paradis.

KHODÂHÂFEZ (AU REVOIR)

Encore une journée « explosive ». Le Président Ahmadinejad parle de « victoire nucléaire ». De nouvelles sanctions économiques menacent l'Iran. Et les éditoriaux de la presse réformatrice évoquent, entre les lignes, les rumeurs de bruits de bottes américaines qui bourdonnent depuis Washington. Mais dans les rues de Téhéran, l'activité bat son plein, comme si de rien n'était. Les voitures avancent pare-chocs contre pare-chocs, les écolières en foulard blanc sautillent à l'arrière des bus, les ménagères font la queue pour s'approvisionner en pain, et les filles en voile coloré font du lèche-vitrine.

Je retrouve ma copine photographe Zohreh, éternelle complice téhéranaise des bons et des mauvais jours, au Carino, juste après l'heure des embouteillages de fin d'après-midi. Le Carino, c'est un de ces nouveaux cafés branchés de la capitale, petit îlot de semi-liberté où les filles en foulard miniature fument le narguilé, où les jeunes couples se susurrent des mots d'amour et où l'on commande un cappuccino en tirant sur une clochette qui pendouille au-dessus de la table. La lumière est tamisée, les murs recouverts de toile de jute et les bougies en forme de totems indiens. Il y a quelques jours, Zohreh s'est fait tabasser par la police pour avoir voulu photographier une manifestation féministe. Le chemin vers la démocratie est encore long. Mais cette incroyable Téhéranaise, qui appartient à la tribu des battantes, a la peau dure. Et il lui en faut plus pour se décomposer.

Ainsi va la vie à Téhéran, ville trépidante, à la fois redoutable et fascinante. Une capitale des clichés et des faux-semblants entourée d'un halo de mystère qu'il ne vaut mieux pas chercher à percer. Ici, on porte des strings roses sous le voile, on flirte sur Internet et on danse à la barbe des mollahs. Téhéran, c'est le noir des martyrs, c'est l'odeur de l'essence qui s'accroche au nylon du tchador. Mais Téhéran, c'est aussi la poésie de Hâfez vendue au détour d'une ruelle sur un joli papier de soie. C'est le blanc des montagnes qui entourent la ville et qu'on prend plaisir à contempler quand, par un miracle printanier, la brise vient chasser le couvercle de pollution qui s'abat sur les gratte-ciels. Téhéran, c'est le rouge des *lipsticks* de ces dames, symbole d'une vie qui résiste à tous les coups de matraques imposés par une minorité au pouvoir qui s'accroche à des idéaux religieux dépassés.

En l'espace d'un quart d'heure, le Carino s'est rempli d'étudiantes avec sac à dos, et d'employées de bureau venues siroter un café avant de rentrer à la maison. Les rires font des vagues au rythme des sonneries de portable, et les conversations naviguent entre politique et nouvelle mode d'été. Un après-midi comme les autres à Téhéran, la capitale des Orientales qui n'ont pas dit leur dernier mot… Sauf que cette fois-ci, ma copine Zohreh est particulièrement silencieuse. « Tu vois, c'est toute cette vitalité qui risque de partir en fumée si les Américains nous attaquent ! » Un cri du cœur, une sorte de « Touche pas à mon Téhéran ! » qui en dit long sur la volonté des Téhéranaises de sa trempe d'aboutir à leurs fins, mais sans aide extérieure, non merci.

Rebelles jusqu'au bout des griffes, on vous avait prévenues, elles sont uniques en leur genre. Et c'est pour ça qu'on ne peut pas leur résister.

Téhéran, avril 2007

Carnet d'adresses

CAFÉS & RESTAURANTS

Café 78
78, avenue Aban
88 91 98 62/63
www.cafe78.com

Café Carino
41, rue Ekhtiariyeh Sud
Avenue Pasdaran
22 55 95 44

Café Paeez
Centre commercial Eskan
Avenue Vali Asr
RDC
88 87 81 61

Café Galerie
Parc Niavaran - Avenue Niavaran
22 81 42 24

Café Lord
246, avenue Villa (connue sous le nom : Ostad Nejatollahi)
88 90 08 33

Boulevard
2, bd Nahid - Avenue Vali Asr
22 05 19 47

Monsoon
38, avenue Gandhi
Centre commercial - RDC
88 79 19 82

Lounge
17, rue Erfani
Avenue Niavaran
22 71 59 53

Boca
6, rue Pourebtehaj
Avenue Niavaran
22 29 88 33

Bistango
Sous-sol de l'hôtel Raamtin
1081, avenue Vali Asr
Sud de Park Saai
88 55 44 09

Bix
38, avenue Gandhi
Centre commercial - 1er étage
88 78 82 72

Restaurant suisse
28, avenue Enghelab - Avenue Forsat
88 81 11 43

Guilak
15, parc des Princes
88 05 29 98

Restaurant traditionnel Aban
7, boulevard Aban
88 80 20 44

GLACES

Akbar Machti (Glacier)
Place Tadjrich, avenue Shariati
Juste à côté de la banque Melli
22 70 31 37
22 73 91 24

SHOPPING

Moses Baba Antiquaire
Angle de l'avenue Ferdowsi
et de la rue Manouchehri
66 71 31 46

Nab Gift Shop
112, rue Vanak
88 78 87 61

MODE, DESIGN ET HAUTE COUTURE

Sadaf
www.sadaft.com
stahvil@yahoo.com

Chadi Parand
7, rue Chadi - Boulevard Charzad
22 55 00 35

Maison Zavieh
16, rue Reza Abbassi - Rue Ramezani
Avenue Dezachib
22 20 94 05

SALONS DE BEAUTÉ

Nikadel
22, rue Maryam - Avenue Ferechteh
22 05 50 16

La Maison blanche
194, avenue Pasdaran
22 85 18 71

CLUBS DE GYM

Sadaf
Charak-e Valfajr - Avenue Cheikh
Bahaii Sud
88 06 89 76/8

Farmanieh
243, avenue Farmanieh
22 29 37 56

Zarafchan
157, rue Ivânak
(après le carrefour Falâmak)
Quartier Chahrak-é Gharb
88 07 99 79

BIO / SANTÉ

Govinda's
24, rue Ekhtiariyeh Sud
Avenue Pasdaran
22 58 26 21
www.iranao.com

Tavoso
Avenue Vali Asr
(près du carrefour Park Weil)
22 05 03 29

Institut Taamasrar
41, rue Abolfazl
Boulevard Marzdârân
Achrafi Esfahani
44 25 47 47-50
www.taamasrar.com

PÂTISSERIES

Danish Pastry
Avenue Pasdaran
Avant la tour Blanche
22 57 74 87

Chirine
56, avenue Ferechteh
22 60 30 35

LIVRAISON À DOMICILE

Market Traiteur
38, avenue Gandhi
Centre commercial - RDC
88 79 19 59

GALERIES

Galerie Mah
89, bd Golestan - Avenue Africa
22 04 58 79
www.mahartgallery.com

La Route de la soie
112, avenue Lavassani
22 72 70 10
www.silkroadphoto.com

Galerie Etemad
5, rue Zafari - Boulevard Chahrzad
22 59 91 27
www.galleryetemad.com

Galerie Seyhoun
30, rue numéro 4 - Avenue Vozarâ
88 71 13 05
www.seyhounartgallery.com

Galerie Golestan
42, avenue Chahid Kamâsâï
(quartier Darrous)
22 54 15 89

MUSIQUE

Beethoven
Place Mohseini - Avenue Mirdamad
22 25 37 76

Café Paradiso
38, avenue Gandhi
Centre commercial Gandhi - 1er étage
88 79 20 29

Les Disques Hermes
11, rue Hediyeh - Avenue Chariati
22 22 35 58
www.hermesrecords.com

Mahsa Vahdat
www.mahsavahdat.com

CHIRURGIE ESTHÉTIQUE

Clinique Khosro Medisa
Chirurgie esthétique au laser
Mollasadra - Nord Chiraz
88 03 40 07
www.khosroteb.com

Retrouvez les Pintades sur Internet

www.lespintades.com

Les bons plans pour découvrir
New York, Londres, Téhéran et bientôt Paris,
tout en suivant l'actualité de ces villes, la présentation du livre
et mille autres choses pour les pintades
new-yorkaises, londoniennes, téhéranaises… et d'ailleurs !

Pour vous tenir au courant des prochaines publications des Éditions Jacob-Duvernet, contactez Louis de Mareüil

louis.demareuil@editionsjacob-duvernet.com
tél. : 01 42 22 63 65

Suivi éditiorial : Baptiste Lanaspeze
Mise en page : Sylvain Renouard
Correction : Agathe Roso

Achevé d'imprimer en août 2007
sur les presses de la Nouvelle Imprimerie Laballery
58500 Clamecy
Numéro d'impression : 708114
Dépôt légal : août 2007
ISBN : 978-2-84724-155-6

Imprimé en France